#홈스쿨링
#혼자공부하기

똑똑한
하루
글쓰기

Chunjae
Makes
Chunjae

▼

[똑똑한 하루 글쓰기] 1B

기획총괄　박진영
편집개발　전종현, 이재인, 김민숙, 백경민, 박지윤
디자인총괄　김희정
표지디자인　윤순미, 김지현
내지디자인　박희춘, 배미현
제작　황성진, 조규영

발행일　2021년 1월 15일 초판 2021년 12월 15일 2쇄
발행인　(주)천재교육
주소　서울시 금천구 가산로9길 54
신고번호　제2001-000018호
고객센터　1577-0902

똑똑한 하루 글쓰기
1단계 B
스케줄표

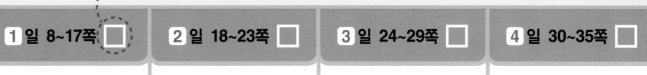

공부했으면 빈칸에 체크(v)해 줘!

1주
문장을 써 보자!

| **1**일 8~17쪽 ☐ | **2**일 18~23쪽 ☐ | **3**일 24~29쪽 ☐ | **4**일 30~35쪽 ☐ |
| 알맞은 문장 부호를 넣어 문장 쓰기 | 원인과 결과를 나타내는 문장 쓰기 | 사실과 의견을 나타내는 문장 쓰기 | 다른 대상에 빗대어 표현하기 |

5일 36~41쪽 ☐
여러 개의 문장으로 표현하기

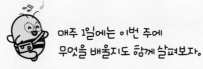
매주 1일에는 이번 주에 무엇을 배울지도 함께 살펴보자.

| **5**일 78~83쪽 ☐ | **4**일 72~77쪽 ☐ | **3**일 66~71쪽 ☐ | **2**일 60~65쪽 ☐ | **1**일 50~59쪽 ☐ | **2주** |
| 가리키다/ 가르치다 | 잊어버리다/ 잃어버리다 | 다르다/틀리다 | 많다/크다 | 작다/적다 | 헷갈리기 쉬운 낱말을 바르게 써 보자! |

특강 42~49쪽 ☐
창의·융합·코딩
➕
누구나 100점 테스트

특강 84~91쪽 ☐
창의·융합·코딩
➕
누구나 100점 테스트

한 주 끝! 하루하루 꾸준히 하자!

3주
이야기를 꾸며 써 보자!

| **1**일 92~101쪽 ☐ | **2**일 102~107쪽 ☐ | **3**일 108~113쪽 ☐ | **4**일 114~119쪽 ☐ | **5**일 120~125쪽 ☐ |
| 그림(사진) 보고 이야기 꾸며 쓰기 | 이야기의 일부분 바꾸어 쓰기 | 문제를 해결하는 이야기 꾸며 쓰기 | 원인과 결과에 따라 이야기 꾸며 쓰기 | 그림의 차례를 정해 이야기 꾸며 쓰기 |

특강 126~133쪽 ☐
창의·융합·코딩
➕
누구나 100점 테스트

대단해! 꾸준히 공부해서 한 권을 끝냈구나.

| **특강** 168~175쪽 ☐ | **5**일 162~167쪽 ☐ | **4**일 156~161쪽 ☐ | **3**일 150~155쪽 ☐ | **2**일 144~149쪽 ☐ | **1**일 134~143쪽 ☐ | **4주** |
| 창의·융합·코딩 ➕ 누구나 100점 테스트 | 놀러 갔던 일 쓰기 | 실수나 잘못했던 일 쓰기 | 친구와 놀았던 일 쓰기 | 친구와 싸웠던 일 쓰기 | 칭찬받았던 일 쓰기 | 일기를 써 보자! |

1단계 B 공부할 내용 한눈에 보기!

✧ 똑똑한 하루 글쓰기를 함께 할 친구들을 소개합니다.

밤톨 / 달래 / 기찬

글봇 / 판판 / 뚝뚝이 / 술술이

바밤별에서 글쓰기를 배우러 온 외계인 친구 밤톨! 엉뚱발랄한 달래와 잘난 척 왕자 기찬을 만나
함께 공부하며 글쓰기 실력이 쑥쑥 자라고 있대요.

글쓰기 공부를 도와주는 글봇과 말하는 판다 판판도 글쓰기 공부를 함께 할 거예요.
글쓰기 채널을 운영하는 똑똑TV 똑똑이와 술술TV 술술이도 기억해 주세요.

글쓰기,
어떻게 시작할까요?

똑똑한 글쓰기 질문 하나!
글쓰기 공부 왜 필요할까요?

자신의 생각을 표현하는 수단이자 모든 학습의 바탕이 되는 활동이 바로 글쓰기예요. 특히 배운 내용을 정리하고, 이해한 것을 글로 풀어내는 글쓰기 능력은 모든 과목 학습 성취에 큰 영향을 끼친답니다.

똑똑한 글쓰기 질문 둘!
계속되는 글쓰기 공부의 실패 원인은 무엇일까요?

글쓰기를 시작하는 순간부터 아이들은 무엇을 써야 할지, 어떻게 표현할지, 어떻게 고쳐야 자연스러울지 등 많은 고민을 하게 되고, 이를 힘들어한답니다. 이렇게 복잡하고 어려운 글쓰기 과정이 익숙해지지 않았을 때 "이것 한번 써 보렴." 하고 과제를 주면 돌아오는 대답은 "엄마, 글쓰기가 싫어요!"일 수밖에 없을 거예요. 그래서 『똑똑한 하루 글쓰기』는 아이들이 차츰 글쓰기에 익숙해지고 재미를 붙여 나갈 수 있도록 만들었답니다.

똑똑한 글쓰기 질문 셋!
글쓰기 공부 어떻게 시작해야 할까요?

쉽고 재미있는 『똑똑한 하루 글쓰기』로 시작해 보세요. 만화와 게임 형식의 문제로 글쓰기 개념을 익히고, 낱말 쓰기부터 한 편 쓰기까지 단계별로 글쓰기를 연습할 수 있어요. 그리고 받아쓰기를 통해 맞춤법 실력을 키우고, 내 생각 쓰기로 마무리하며 창의적 글쓰기까지 연습할 수 있답니다. 하루하루 꾸준히 공부해서 한 권을 끝내면 글쓰기 실력과 함께 자신감도 쑥쑥 자랄 거예요.

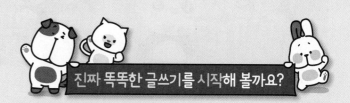

진짜 똑똑한 글쓰기를 시작해 볼까요?

이 책의 특징과 장점

똑똑한 하루 글쓰기로
똑똑해지자!

똑똑한 하루 글쓰기!
왜 똑똑한 하루 글쓰기일까요?

1 10분이면 **하루 글쓰기 끝!** 쉽고 재미있는 글쓰기 공부!

2 교과 학습 과정을 반영한 **갈래별 글쓰기!** 매주 다양한 갈래로 즐거운 학습!

3 **단계별 글쓰기**로 글쓰기 실력 향상! 낱말 쓰기부터 한 편 쓰기까지!

4 **받아쓰기**로 기초 실력 다지기! 맞춤법 실력이 쑥쑥!

5 **창의·융합·코딩**으로 사고력 넓히기! 생활 어휘부터 코딩 학습까지!

구성과 활용 방법

주 도입

한 주 동안 공부할 내용을 만화로 미리 살펴보고, 한 주의 글쓰기 개념을 만화와 문제로 확인합니다.

똑똑한 하루 글쓰기 코스

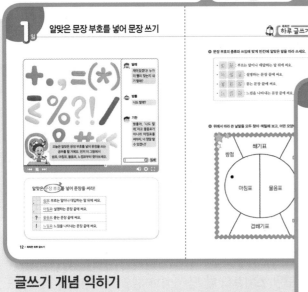

글쓰기 개념 익히기

캐릭터들의 재미있는 대화와 게임 형식의 확인 문제로 핵심 글쓰기 개념을 익힙니다.

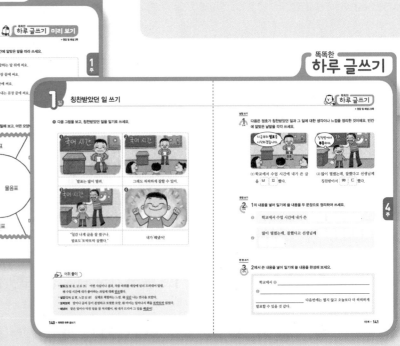

단계별 글쓰기

다양한 글쓰기 상황을 살펴보고, '낱말 쓰기 → 문장 쓰기 → 한 편 쓰기'를 단계별로 학습하며 쉽고 재미있게 글쓰기를 연습합니다.

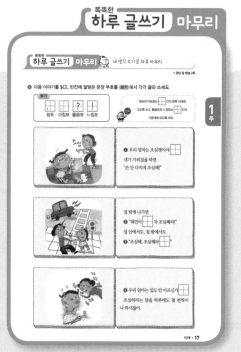

받아쓰기

'따라 쓰기 → 낱말 받아쓰기 → 문장 받아쓰기'를 통해 글쓰기 개념에 맞는 문장을 익히고 맞춤법 실력을 다집니다.

내 생각 쓰기로 마무리

하루 학습 목표에 맞게 제시된 주제에 대한 내 생각 쓰기로 하루의 글쓰기 학습을 마무리합니다.

주 특강

생활 어휘

생활 속에서 자주 쓰는 속담과 관용어의 뜻과 쓰임을 만화로 익힙니다.

창의·융합·코딩 미션

게임 형식의 창의·융합·코딩 미션을 해결하며 재미있게 한 주의 중요 어휘를 확인하고 다양한 배경지식을 넓힙니다.

누구나 100점 테스트

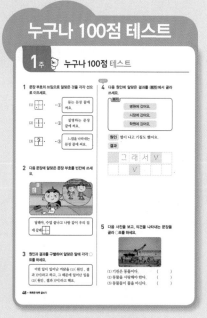

누구나 100점 테스트

한 주 동안 공부한 내용을 평가하며 갈래별 글쓰기 실력을 확인합니다.

친구들과 약속해요!

우리 같이 약속해요!

첫째, 하루하루 빠짐없이 꾸준히 공부하기!

둘째, 하루 글쓰기 문제 끝까지 다 풀기!

셋째, 또박또박 바르게 글씨 쓰기!

약속하는 사람 _____

쉽고 재미있는
『똑똑한 하루 글쓰기』로
첫 글쓰기 공부를 시작해 봐요.

똑똑한
하루
글쓰기

1단계 B
예비초~1학년

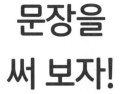

문장을
써 보자!

1-1 사실과 의견에 대한 설명으로 알맞은 것을 찾아 각각 선으로 이으세요.

(1) 사실 ·

· ① 실제로 있었던 일

(2) 의견 ·

· ② 실제로 있었던 일에 대한 생각

1-2 사실과 의견을 구별하여 알맞은 말에 ○표를 하세요.

(1) 친구가 책상에 올라가 장난을 쳤다.　　　　　　　(사실 , 의견)

(2) 친구가 책상에 올라가 장난을 치지 않았으면 좋겠다.　(사실 , 의견)

▶ 정답 및 해설 2쪽

2-1 다른 대상에 빗대어 표현하는 방법에 대해 알맞게 말한 사람은 누구인지 쓰세요.

표현하려는 대상과 비슷한 점이 있는 다른 대상에 빗대어 표현할 수 있어.

달래

표현하려는 대상과 다른 점이 있는 다른 대상에 빗대어 표현할 수 있어.

기찬

(   )

2-2 다음 그림을 보고, 구름을 다른 대상에 빗대어 표현한 문장을 골라 ○표를 하세요.

(1) 하늘에 푹신한 구름이 떠 있다.　　　(　　　)

(2) 하늘에 솜사탕처럼 푹신한 구름이 떠 있다.

(　　　)

1_일 알맞은 문장 부호를 넣어 문장 쓰기

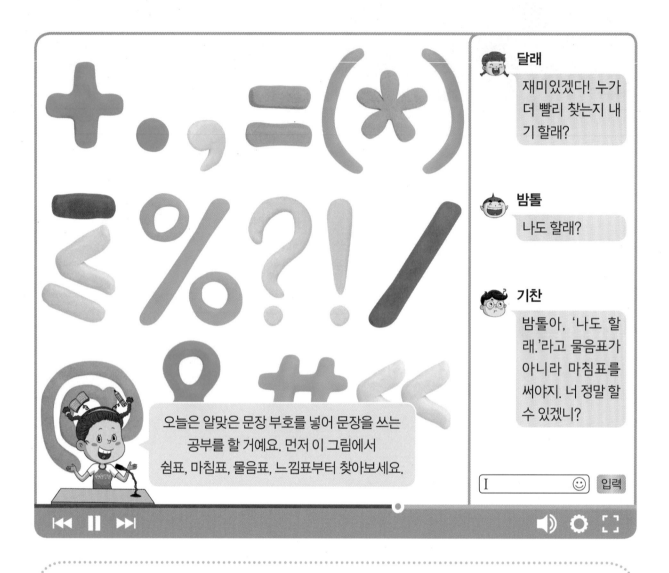

달래
재미있겠다! 누가 더 빨리 찾는지 내기 할래?

밤톨
나도 할래?

기찬
밤톨아, '나도 할래.'라고 물음표가 아니라 마침표를 써야지. 너 정말 할 수 있겠니?

오늘은 알맞은 문장 부호를 넣어 문장을 쓰는 공부를 할 거예요. 먼저 이 그림에서 쉼표, 마침표, 물음표, 느낌표부터 찾아보세요.

알맞은 문장 부호를 넣어 문장을 써라!

,	쉼표: 부르는 말이나 대답하는 말 뒤에 써요.
.	마침표: 설명하는 문장 끝에 써요.
?	물음표: 묻는 문장 끝에 써요.
!	느낌표: 느낌을 나타내는 문장 끝에 써요.

◉ 문장 부호의 종류와 쓰임에 맞게 빈칸에 알맞은 말을 따라 쓰세요.

- 쉼 표 : 부르는 말이나 대답하는 말 뒤에 써요.
- 마 침 표 : 설명하는 문장 끝에 써요.
- 물 음 표 : 묻는 문장 끝에 써요.
- 느 낌 표 : 느낌을 나타내는 문장 끝에 써요.

◉ 위에서 따라 쓴 낱말을 모두 찾아 색칠해 보고, 어떤 모양이 나오는지 알아보아요.

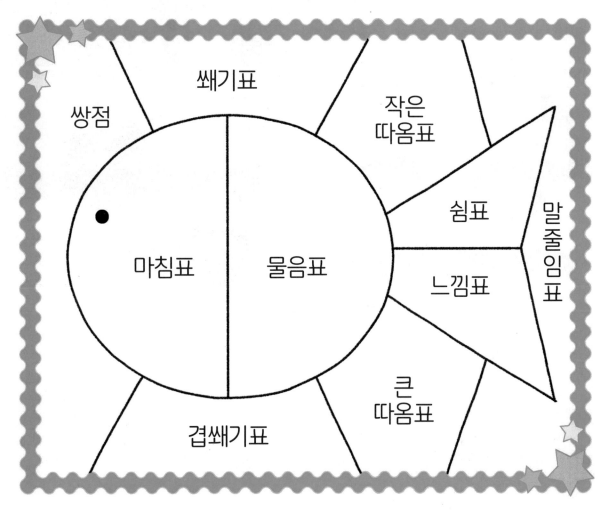

알맞은 문장 부호를 넣어 문장 쓰기

● 다음 만화를 읽고, 알맞은 문장 부호를 넣어 문장을 쓰세요.

이 쪽지 읽고 대답해 줘.

달래야? 수업 끝나고 나랑 같이 우리 집에 갈래! 너는 힘이 정말 세더라, 이따가 우리 집 대청소 좀 도와줘?

달래야, 갑자기 왜 그래?

네가 화난 영문을 모르겠어.

밤톨이가 문장 부호를 잘못 써서 그런가?

쪽지 내용이 문제인 것 같은데……

🐻 **어휘 풀이**

▼ **영문** 일이 돌아가는 형편이나 그 까닭. 예 짝이 쉬는 시간에 엉엉 운 영문을 통 모르겠다.

▼ **문장 부호** | 글월 문 文, 글월 장 章, 부신 부 符, 부르짖을 호 號 | 문장의 뜻을 돕거나, 문장을 구별하여 읽고 이해하기 쉽도록 하기 위하여 쓰는 여러 가지 부호를 말함.

▶정답 및 해설 2쪽

낱말 쓰기

다음 그림을 보고, 문장 부호에 맞게 빈칸에 알맞은 낱말을 보기 에서 골라 쓰세요.

보기

간다

가자

갈래

달래야, 수업 끝나고 나랑 같이 우리 집에 ☐☐ ?

문장 쓰기

다음 문장에서 잘못 쓰인 문장 부호를 바르게 고치고, 문장을 다시 쓰세요.

(1) 너는 힘이 정말 세더라,

너	는	V			V			V

(2) 이따가 우리 집 대청소 좀 도와줘?

이	따	가	V			V		V
			V		V			

1

따라 쓰기

잘 듣고, 따라 쓰세요.

❶

| | | 읽 | 고 | V | 대 | 답 | 해 | V | 줘 | . |

❷

| | | 갑 | 자 | 기 | V | 왜 | V | 그 | 래 | ? |

2

낱말
받아쓰기

잘 듣고, 빈칸에 알맞은 낱말을 받아쓰세요.

❶

| | | | | | 를 잘못 써서 그런가? |

❷ 쪽지 내용이 문제인 것 | | | | …….

3

문장
받아쓰기

잘 듣고, 그림에 알맞은 문장을 받아쓰세요.

| | 달 | 래 | 야 | , | | | V | | | V |
| | | | V | | | | | | |

1
주

● 다음 이야기를 읽고, 빈칸에 알맞은 문장 부호를 [보기] 에서 각각 골라 쓰세요.

보기

,	.	?	!
쉼표	마침표	물음표	느낌표

힌트
쉼표와 마침표는 [ ] 안의 왼쪽 아래에
오도록 쓰고, 물음표와 느낌표는 [ ] 안의
가운데에 오도록 써요.

❶ 우리 엄마는 조심쟁이야 [ ]

내가 가위질을 하면
"손 안 다치게 조심해!"

집 밖에 나가면
❷ "채민아 [ ] 차 조심해라!"
집 안에서도, 집 밖에서도
❸ "조심해, 조심해라 [ ]"

❹ 우리 엄마는 입도 안 아프신가 [ ]
조심하라는 말을 하루에도 몇 번씩이
나 하시잖아.

원인과 결과를 나타내는 문장 쓰기

달래
원인: 준수는 늦잠을 잤다.

기찬
결과: 그래서 학교에 지각했다.

밤톨
이 결과는 어때?
결과: 그래서 피부가 좋아졌다.

오늘은 이 그림을 보고, 원인을 나타내는 문장과 결과를 나타내는 문장을 말해 보는 게임을 해 볼까요?

원인과 결과를 나타내는 문장을 써라!

어떤 일이 일어난 까닭을 원인이라고 하고,

그 때문에 일어난 일을 결과라고 해요.

그리고 어떤 일의 결과가 다른 일의 원인이 되기도 해요.

▶ 정답 및 해설 3쪽

1
주

● 그림에 맞는 퍼즐 모양을 찾아 선으로 잇고, 원인과 결과를 나타내는 문장이 무엇인지 알아 보아요.

 원인을 나타내는 문장을 따라 쓰세요.

	왜	냐	하	면	V	곰	이	V	재
주	를	V	부	렸	기	V	때	문	이
다	.								

원인과 결과를 나타내는 문장 쓰기

● 다음 글을 읽고, 원인과 결과를 나타내는 문장을 쓰세요.

"하연아, 병원에 가자. 온몸이 불덩어리네!"

콜록콜록 기침을 하던 하연이는 엄마, 아빠와 함께 병원에 갔어요.

병원에 도착하자 의사 선생님께서 하연이를 진찰하시고 약을 처방해 주셨어요. 다행히 집에 돌아와 약을 먹고 쉬니까 열이 내리고 기침도 잦아들었어요. 하연이는 다짐했어요.

'난 커서 아픈 사람을 치료해 주는 의사가 될 거야.'

하연이는 아픈 사람을 치료해 주는 의사 선생님이 훌륭하다고 생각했기 때문이에요.

🐭 어휘 풀이

▼ **진찰**|볼 진 診, 살필 찰 察| 의사가 여러 가지 방법으로 환자의 병이나 증상을 살핌.

　　㉘ 진찰을 받을 때 몹시 긴장되었다.

▼ **처방**|곳 처 處, 모 방 方| 병을 치료하기 위하여 증상에 따라 약을 짓는 방법.

　　㉘ 의사 선생님의 처방에 따라 약국에 가서 약을 지었다.

▼ **잦아들었어요** 거칠거나 들뜬 기운이 가라앉아 잠잠해져 갔어요.

　　㉘ 거센 바람도 어느덧 잦아들었어요.

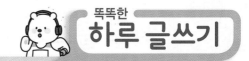

낱말 쓰기

1단계 다음 그림을 보고, 빈칸에 알맞은 낱말을 보기 에서 각각 골라 쓰세요.

보기

| 기침 | 눈물 | 병원 | 학교 |

원인

(1) 열이 나고 [ ][ ]도 했어요.

결과

(2) 그래서 [ ][ ]에 갔어요.

문장 쓰기

2단계 원인이나 결과를 나타내는 문장을 보기 에서 각각 골라 쓰세요.

보기

열이 나고 기침도 했어요.   열이 내리고 기침도 잦아들었어요.

아픈 사람을 치료해 주는 의사 선생님이 훌륭하다고 생각했기 때문이에요.

	원인	병원에 가서 진찰을 받고, 처방받은 약을 먹고 쉬었어요.
(1)	결과	그래서 _____ _____

	결과	커서 아픈 사람을 치료해 주는 의사가 되겠다고 다짐했어요.
(2)	원인	왜냐하면 _____ _____

1

따라 쓰기

잘 듣고, 따라 쓰세요.

❶

| 감 | 기 | 에 | V | 걸 | 렸 | 다 | . |

❷

| 열 | 이 | V | 많 | 이 | V | 났 | 다 | . |

2

낱말
받아쓰기

잘 듣고, 빈칸에 알맞은 낱말을 받아쓰세요.

❶ 의사 선생님께   을 받았다.

❷ 왜냐하면   기침을 했기 때문이다.

3

문장
받아쓰기

잘 듣고, 그림에 알맞은 문장을 받아쓰세요.

| | 동 | 생 | 이 | V | | | | | V | |
| | | | V | | | | | | | |

● 다음 그림을 보고, 친구가 쓴 문장 처럼 원인이나 결과를 나타내는 문장을 각각 쓰세요.

1
주

친구가 쓴 문장 ●

내일 가져갈 준비물을 미리 챙겨야지.

| 원인 | 현장 체험학습에 가져갈 준비물을 미리 챙겨 두었어요. |
| 결과 | 그래서 아침에 허둥대지 않고 현장 체험학습을 갔어요. |

❶
받아쓰기 공부를 열심히 해야지.

| 원인 | 받아쓰기 공부를 열심히 했어요. |
| 결과 | 그래서 _____
 _____ |

❷
내 방 청소를 해야지.

| 결과 | 엄마께 칭찬을 들었어요. |
| 원인 | 왜냐하면 _____
 _____ |

힌트
❶에는 받아쓰기 공부를 열심히 했기 때문에 일어난 일이 무엇일지 써 보아요. ❷에는 엄마께 칭찬을 들은 까닭이 무엇일지 '~때문이에요' 등과 같은 말을 사용하여 써 보아요.

사실과 의견을 나타내는 문장 쓰기

밤톨
네, 네, 술술 님!
사실: 동물들이 물을 마신다.

달래
의견: 동물을 사랑해야 한다.

판판
달래야, 그렇다면 나도 사랑해 줘~!

오늘은 이 사진을 보고, 사실과 의견을
나타내는 문장을 써 볼 거예요.
친구들, 모두 준비됐나요?

사실과 의견을 나타내는 문장을 써라!

한 일, 본 일, 들은 일과 같이 실제로 있었던 일은 사실이고,

그 일에 대한 생각은 의견이에요.

사실과 의견을 구분하여 문장을 써 보아요.

1 주

◉ 사실과 의견에 대한 설명에 맞게 빈칸에 알맞은 말을 쓰고, 퍼즐판에서 찾아 ◯표를 하세요.

❶ 실 제 로 있었던 일은 사실이에요.

한 일, 본 일, 들은 일은 ❷ ☐ ☐ 이에요.

표	현	큰	코
교	사	실	딱
건	장	제	지
의	견	손	금

실제로 있었던 일에 대한
생각은 ❸ ☐ ☐ 이에요.

3일 사실과 의견을 나타내는 문장 쓰기

● 다음 대화를 읽고, 사실과 의견을 나타내는 문장을 쓰세요.

나 어제 놀이공원에 다녀왔어.

우아, 정말?

놀이 기구를 타고 퍼레이드도 봤어.
정말 환상적인 하루였어.

나도 놀이공원에 놀러 가고 싶다.

어휘 풀이

▼**퍼레이드**   축제나 축하 등으로 많은 사람이 거리를 화려하게 줄지어 가는 일. 또는 그런 사람들의 줄.
    예 이 축제는 멋진 퍼레이드로 유명하다.

▼**환상적**|변할 환 幻, 생각 상 想, 과녁 적 的| 생각 등이 현실성이나 가능성이 없고 헛된 것.
    예 이 그림은 환상적인 분위기가 느껴진다.

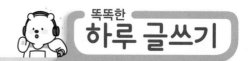
낱말 쓰기

1 다음 사진을 보고, 빈칸에 알맞은 낱말을 보기 에서 각각 골라 쓰세요.

보기
놀이공원   퍼레이드

(1) **사실** 달래는 놀이공원에서 놀이 기구를 타고 ☐☐☐☐도 봤다.

(2) **의견** 나도 달래처럼 ☐☐☐☐에 놀러 가고 싶다.

문장 쓰기

2 보기 에서 사실과 의견에 알맞은 문장을 각각 골라 쓰세요.

보기
어제 공원에서 친구와 자전거를 탔다.

자전거를 탈 때에는 보호 장비를 꼭 착용해야 한다.

(1) **사실**

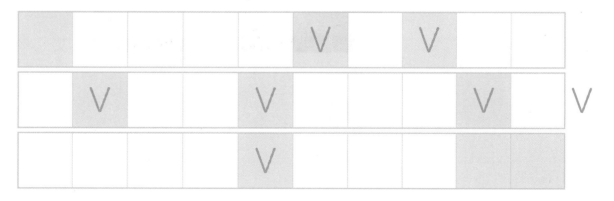

(2) **의견**

1

따라 쓰기

잘 듣고, 따라 쓰세요.

❶ 기 린 은 V 동 물 이 다 .

❷ 동 물 을 V 사 랑 하 자 .

2

낱말
받아쓰기

잘 듣고, 빈칸에 알맞은 낱말을 받아쓰세요.

❶ [   ] 놀이공원에 다녀왔다.

❷ 놀이 기구를 [   ] .

3

문장
받아쓰기

잘 듣고, 사진에 알맞은 문장을 받아쓰세요.

						V		V	
	V								

⦿ 다음 그림을 보고, 친구가 쓴 문장 처럼 사실이나 의견을 나타내는 문장을 각각 쓰세요.

1
주

친구가 쓴 문장

안녕하세요?

| 사실 | 길에서 만난 이웃 어른에게 인사했다. |
| 의견 | 길에서 이웃 어른을 만나면 예의 바르게 인사해야 한다. |

❶

의견 지하철에서는 노약자에게 자리를 양보해야 한다.

사실

 힌트 그림에서 실제로 있었던 일이 무엇인지 써 보아요.

❷

사실 착한 나무꾼은 산신령에게 정직하게 말해 금도끼를 받았다.

의견

힌트 착한 나무꾼에게 있었던 일을 보고, 어떤 생각이 들었는지 써 보아요.

다른 대상에 빗대어 표현하기

다른 대상에 빗대어 표현하는 문장을 써라!

문장 '아기의 볼은 빨간 사과 같았다.'에서는 아기의 볼과 사과에서

'빨갛다'라는 비슷한 점을 찾아 아기의 볼을 사과에 빗대어 표현하였어요.

이와 같이 문장을 쓸 때에는 표현하려는 대상(사람이나 사물)과

비슷한 점이 있는 다른 대상에 빗대어 표현할 수도 있어요.

● 그림에 맞는 퍼즐 모양을 찾아 ◯표를 하고, 다른 대상에 빗대어 표현하는 문장을 쓰는 방법을 알아보아요.

다른

표현하려는 대상과 [ ] 점이 있는 다른 대상에 빗대어 표현할 수 있어요.

비슷한

보름달을 무엇에 빗대어 표현하였는지 찾으며 문장을 따라 쓰세요.

쟁	반	처	럼	V	둥	근	V	보
름	달	이	V	떴	어	요	.	

다른 대상에 빗대어 표현하기

○ 다음 글을 읽고, 다른 대상에 빗대어 표현하는 문장을 쓰세요.

한겨울 이불 속과 엄마의 품속은 어떤 비슷한 점이 있을까요? 둘 다 '포근하다', '따뜻하다', '나오기 싫다' 등과 같은 느낌을 주는 곳이라는 점이겠지요. 그래서 한겨울 이불 속을 다음과 같이 엄마의 품속에 빗대어 표현하는 문장을 쓸 수 있어요.

- 한겨울 이불 속은 엄마의 품속처럼 포근하다.
- 한겨울 이불 속은 엄마의 품속처럼 따뜻하다.
- 한겨울 이불 속은 엄마의 품속처럼 나오기 싫다.

한겨울 이불 속을 또 어떤 대상에 빗대어 표현할 수 있을까요? 한겨울 이불 속과 비슷한 점이 있는 대상을 떠올려 보고, 다른 대상에 빗대어 표현하는 문장을 써 보아요.

🐭 어휘 풀이

▼ **한겨울** 추위가 가장 심할 무렵의 겨울. ⑩ 작년에는 <u>한겨울</u>에 눈까지 많이 내려 지내기가 힘들었다.
▼ **포근하다** 도톰한 물건이나 자리 따위가 보드랍고 따뜻하다. ⑩ 이 소파는 참 <u>포근하다</u>.

▶ 정답 및 해설 5쪽

낱말 쓰기

'한겨울 이불 속'을 어떤 대상에 빗대어 표현하면 좋을지 떠올려 보고, 빈칸에 알맞은 낱말을 보기 에서 각각 골라 쓰세요.

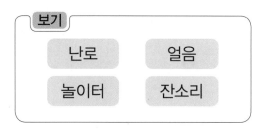

보기

| 난로 | 얼음 |
| 놀이터 | 잔소리 |

(1) 한겨울 이불 속은 [　][　] 처럼 따뜻해요.

(2) 한겨울 이불 속은 [　][　][　] 처럼 계속 있고 싶어요.

문장 쓰기

'아기의 눈'과 '내 짝꿍의 얼굴'을 떠올려 보고, 보기 에서 마음에 드는 내용을 골라 다른 대상에 빗대어 표현하는 문장을 쓰세요.

보기

별처럼 반짝반짝 빛나요.　　　가을 하늘같이 맑아요.

(1)

| 　 | 아 | 기 | 의 | 　 | 눈 | 은 | 　 | 　 | 　 |
| 　 | 　 | 　 | 　 | 　 | 　 | 　 | 　 | 　 | 　 |

보기

우유처럼 하얘요.　　　찐빵같이 동그래요.

(2)

| 　 | 내 | 　 | 짝 | 꿍 | 의 | 　 | 얼 | 굴 | 은 |
| 　 | 　 | 　 | 　 | 　 | 　 | 　 | 　 | 　 | 　 |

1단계 • **33**

1 잘 듣고, 따라 쓰세요.

따라 쓰기

❶ | 비 | 단 | 같 | 이 | V | 고 | 운 | V | 손 |

❷ | 눈 | 처 | 럼 | V | 하 | 얀 | V | 얼 | 굴 |

2 잘 듣고, 빈칸에 알맞은 낱말을 받아쓰세요.

낱말
받아쓰기

❶ | | | 처럼 차가운 바람이 불었다.

❷ 솜사탕처럼 | | | | 구름이 떠 있다.

3 잘 듣고, 사진에 알맞은 문장을 받아쓰세요.

문장
받아쓰기

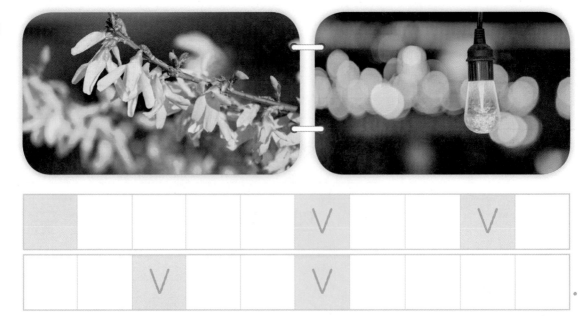

| | | | | V | | V | |

| | | V | | V | | | |

● 다음 시를 읽고, 밑줄 그은 말 대신 쓸 수 있는 말을 보기 에서 각각 골라 시를 바꾸어 써 보세요.

수박씨

최명란

아~함
동생이 하품을 한다
입안이
빨갛게 익은 수박 속 같다
충치는 까맣게 잘 익은 수박씨

↓

아~함
동생이 하품을 한다
입안이

빨갛게 익은 ❶ [ ] 같다

충치는 까맣게 잘 익은 ❷ [ ]

힌트 입안의 모습이 빨갛게 익은
무엇과 비슷한지, 또 충치는
무엇과 비슷한지 떠올려 보세요.

보기

레몬

레몬 씨

딸기

딸기 씨

여러 개의 문장으로 표현하기

기찬
공원에 많은 사람들이 있다. 그중 한 아이는 연을 날리고 있다.

판판
한 아이가 그네를 타고 있다. 나는 대나무의 잎을 먹고 있다.

달래
우아, 그림 속에 정말 판판이가 있잖아!

오늘은 이 그림을 보고, 여러 개의 문장으로 표현해 보는 공부를 할 거예요. 댓글 창에 문장을 만들어 써 보세요.

I 😊 입력

여러 개의 문장으로 표현해라!

여러 개의 문장으로 표현하려면 먼저 장면에 어울리는 낱말들을
떠올려 봐요. 그런 다음 장면을 여러 부분으로 나누어
여러 개의 문장으로 표현하면 돼요. 이와 같이
여러 개의 문장으로 표현하면 장면을 자세하게 나타낼 수 있어요.

1
주

○ 사다리 타기를 하여 도착한 곳의 낱말을 따라 쓰며, 여러 개의 문장으로 표현하는 방법을 알아보아요.

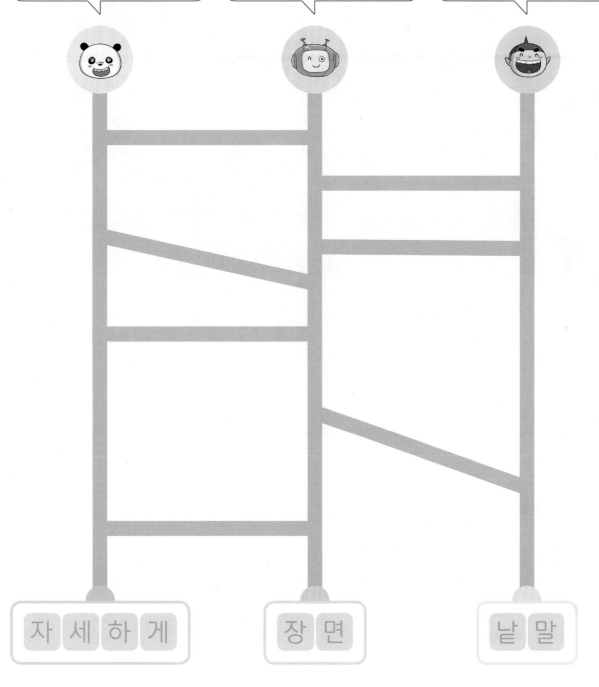

여러 개의 문장으로
표현하려면 먼저
장면에 어울리는
○○들을 떠올려요.

그런 다음 ○○을
여러 부분으로
나누어 여러 개의
문장으로 표현하면 돼요.

여러 개의 문장으로
표현하면 장면을
○○○○ 나타낼
수 있어요.

자세하게

장면

낱말

● 다음 그림일기를 읽고, 그림에 알맞은 여러 개의 문장을 만들어 쓰세요.

20〇〇년 4월 18일 토요일	날씨: 포근한 햇살이 내리쬐는 날

가족들과 봄나들이를 갔다. 맛있는 도시락도 먹고 가족사진도 찍었다.

생각만 해도 웃음이 날 정도로 즐겁고 행복했다.

어휘 풀이

▼ **봄나들이** 봄날의 아름다움을 즐기려고 가까운 곳에 잠시 외출함. 또는 그 외출.

　　예 주말에 가족들과 공원으로 봄나들이를 다녀왔다.

▼ **정도**|단위 程度, 법도 도 度| 사물의 성질이나 가치를 좋고 나쁨이나 더하고 덜한 정도로 나타내는 분량이나 수준. 예 이 문제는 1학년이면 누구나 풀 수 있을 정도로 쉽다.

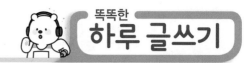

▶정답 및 해설 6쪽

낱말 쓰기

다음은 그림을 보고, 여러 개의 문장을 만들어 쓴 것이에요. 빈칸에 알맞은 낱말을 장면에 어울리는 낱말들 에서 각각 골라 쓰세요.

장면에 어울리는 낱말들
꽃비   꽃잎
벚꽃   봄꽃

여러 개의 문장으로 표현하기

→ (1) ☐☐ 이 활짝 피었어요.

(2) 봄바람에 ☐☐ 이/가 날려요.

문장 쓰기

다음 그림을 보고, 빈 곳에 문장을 만들어 쓰세요.

(1)

• 우리 가족은 _____

_____

• 우리 가족은 재미있는 이야기도 나누었어요.

(2)

• 공원에서 _____

_____

• _____

똑똑한
하루 글쓰기 받아쓰기

받아쓰기 듣기

▶ 정답 및 해설 6쪽

1 잘 듣고, 따라 쓰세요.

따라 쓰기

❶ | | 봄 | 나 | 들 | 이 | 를 | V | 갔 | 다 | . |

❷ | | 가 | 족 | 사 | 진 | 도 | V | 찍 | 었 | 다 | . |

2 잘 듣고, 빈칸에 알맞은 낱말을 받아쓰세요.

낱말
받아쓰기

❶ 맛있는 [　][　][　] 을 먹었다.

❷ 생각만 해도 [　][　] 이 날 정도로 즐거웠다.

3 잘 듣고, 사진에 알맞은 문장을 받아쓰세요.

문장
받아쓰기

			V			V				V

◉ 다음 그림을 보고, 친구가 쓴 문장 처럼 세 개의 문장을 만들어 쓰세요.

친구가 쓴 문장

• 아이들이 숨바꼭질을 하고 있다.
• 술래가 아이들을 찾고 있다.
• 한 아이는 벤치 뒤에 숨어 있다.

❶ 수업이 끝나 [   ]

❷ 한 아이가 학교 앞 분식집에서 [   ]

❸ [   ]

 힌트 그림을 잘 보고, 그림 속 아이들이 어디에서 무엇을 하고 있는지 문장을 만들어 써 보세요.

생활 어휘 다음 만화를 보며 속담의 뜻을 알아보고, 상황에 맞게 속담을 써 보세요.

등잔 밑이 어둡다

오늘 너희들에게 집안의 보물을 보여 주겠다.

이것이 바로 백 년째 전해 내려오는 마법의 구슬이란다.

아버지, 아무것도 없는데요…….

뭐?

보물이 없다고?

진짜 없다!

▶ 정답 및 해설 6쪽

보물이 대체
어디로 간 거지?

우리 집안의
보물이 사라졌다!
빨리 찾아보아라!

네!

속담의 뜻을 알아봐요!

등잔 밑이 어둡다

이 속담은 "<u>가까이에 있는 사람이나 물건을
도리어 잘 알아보지 못한다.</u>"라는 뜻이랍니다.

이제 이 속담을 넣어 상황에 맞게 써 볼까요?

두리번 두리번

스마트폰을
어디에 뒀지?

형은 "| 등 | 잔 | 밑 | 이 | 어 |

| 둡 | 다 |"라는 말처럼 주머니에 넣

어 둔 스마트폰을 한참 찾았다.

◉ 낱말 찾기 게임을 하고 있어요. 각 단계마다 밤톨이가 찾아야 하는 낱말이 적힌 그림을 찾아 ◯표를 하세요.

1단계
출발
영문
영영
❶ 일이 돌아가는 형편이나 그 까닭.

2단계
봄빛
봄나들이
❷ 봄날의 아름다움을 즐기려고 가까운 곳에 잠시 외출함.

3단계
처방
처리
도착
❸ 병을 치료하기 위하여 증상에 따라 약을 짓는 방법.

창의   1주에 쓰인 **낱말과 그 뜻**을 익히며 낱말 찾기 게임을 해 봅니다.

● 다음 문장에 쓰인 문장 부호를 모두 지날 수 있는 코딩 명령을 골라 ○표를 하세요.

꼬마 마녀야 [,] 하늘을 나는 마법 빗자루를 갖게 되었다니 참 부럽다 [!]

빗자루를 타고 하늘을 나는 기분은 어떠니 [?]

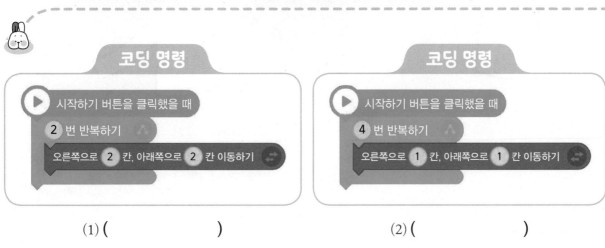

(1) (   )   (2) (   )

코딩   문장에 쓰인 **문장 부호**의 종류와 쓰임을 알아보고, 어떤 **코딩 명령**에 따라 이동해야 할지 골라 봅니다.

● 사실을 말한 사람의 옷은 초록색, 의견을 말한 사람의 옷은 빨간색으로 색칠하여 그림을 완성하세요.

 융합
국어+미술

사실을 나타낸 문장과 **의견**을 나타낸 문장을 구분해 보고, 사실과 의견에 알맞게 **그림을 색칠**해 봅니다.

▶ 정답 및 해설 7쪽

● 다음 문장에서 동생을 무엇에 빗대어 표현하였는지 알아보고, 빨간색으로 쓴 말을 그림에서 모두 찾아 ◯표를 하세요.

내 동생의 얼굴은 보름달처럼 둥글고 우유처럼 하얗다. 방학 동안 콩나물처럼 키가 쑥쑥 자랐지만, 여전히 곰 인형처럼 귀엽다.

 창의   동생을 빗대어 표현한 대상이 무엇인지 알아보고, 그 대상들을 그림에서 찾아봅니다.

1 문장 부호의 쓰임으로 알맞은 것을 각각 선으로 이으세요.

(1) ・

・① 묻는 문장 끝에 써요.

(2) ・

・② 설명하는 문장 끝에 써요.

(3) ・

・③ 느낌을 나타내는 문장 끝에 써요.

2 다음 문장에 알맞은 문장 부호를 빈칸에 쓰세요.

달래야, 수업 끝나고 나랑 같이 우리 집에 갈래

3 원인과 결과를 구별하여 알맞은 말에 각각 ○표를 하세요.

어떤 일이 일어난 까닭을 (1)(원인 , 결과)(이)라고 하고, 그 때문에 일어난 일을 (2)(원인 , 결과)(이)라고 해요.

글쓰기

4 다음 원인에 알맞은 결과를 보기 에서 골라 쓰세요.

보기

병원에 갔어요.

시장에 갔어요.

학원에 갔어요.

원인 열이 나고 기침도 했어요.

결과

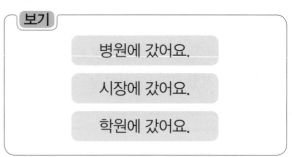

| | 그 | 래 | 서 | ∨ | |
| | | | ∨ | | |

5 다음 사진을 보고, 의견을 나타내는 문장을 골라 ○표를 하세요.

(1) 기린은 동물이다.   (   )
(2) 동물을 사랑해야 한다.   (   )
(3) 동물들이 물을 마신다.   (   )

6 다음은 받아쓰기를 한 문장이에요. 밑줄 그은 부분을 바르게 고쳐 쓰세요.

> 놀이 기구를 <u>탓다</u>.

탓다 → ☐☐

7 '한겨울 이불 속'을 다른 대상에 빗대어 표현한 문장을 골라 ○표를 하세요.

(1) 한겨울 이불 속은 따뜻하다. (   )

(2) 한겨울 이불 속은 엄마의 품속처럼 포근하다. (   )

8 다음 문장에서 보름달을 무엇에 빗대어 표현하였는지 보기 에서 골라 쓰세요.

> 쟁반처럼 둥근 보름달이 떴어요.

보기

얼굴   쟁반   찐빵

☐☐

9 여러 개의 문장으로 표현하는 방법에 대해 잘<u>못</u> 말한 친구의 이름을 쓰세요.

> 달래: 여러 개의 문장으로 표현하려면 먼저 장면에 어울리는 낱말들을 떠올려야 해.
> 기찬: 그런 다음 장면을 여러 부분으로 나누어 여러 개의 문장으로 표현하면 돼.
> 밤톨: 여러 개의 문장으로 표현하면 장면을 자세하게 나타낼 수 없어.

(   )

글쓰기
10 다음 그림을 보고, 여러 개의 문장을 만들어 쓰려고 해요. 빈칸에 알맞은 문장을 보기 에서 한 가지 골라 쓰세요.

보기

함박눈이 사르르 녹아요.

봄바람에 꽃비가 날려요.

• 벗꽃이 활짝 피었어요.

2주

2주에는 무엇을 공부할까? ❶

헷갈리기 쉬운 낱말을 바르게 써 보자!

1일 작다/적다
2일 많다/크다
3일 다르다/틀리다
4일 잊어버리다/잃어버리다
5일 가리키다/가르치다

1-1 다음 친구가 말하는 것은 어떤 낱말의 뜻인지 알맞은 것에 ○표를 하세요.

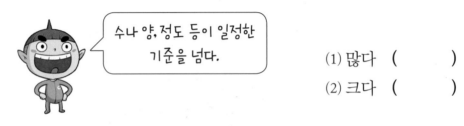

(1) 많다　（　　　）

(2) 크다　（　　　）

1-2 다음 그림을 보고, 보기 에서 알맞은 말을 골라 빈칸에 쓰세요.

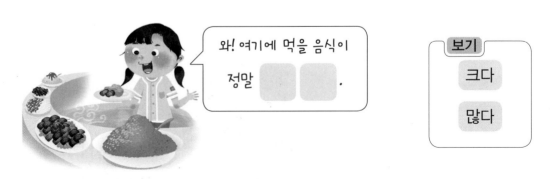

대나무의 모양이 꼭
피리같이 생겼네.

피리와는 생김새가
틀린 것 같은데.

'틀리다'는 셈 등이 잘못되었을 때
쓰고, '다르다'는 비교가 되는 두 대상이
서로 같지 않을 때 써.

그렇구나

▶ 정답 및 해설 9쪽

2-1

다음은 어떤 낱말의 뜻인지 보기 에서 각각 골라 쓰세요.

> **보기**
>
> 틀리다   다르다

(1) 비교가 되는 두 대상이 서로 같지 않다.   (   )

(2) 셈이나 사실 등이 잘못되거나 어긋나다.   (   )

2-2

다음 그림을 보고, 보기 에서 알맞은 말을 골라 빈칸에 쓰세요.

> **보기**
>
> 틀리다
>
> 다르다

내 쌍둥이 동생들은 성격이 완전히 　　　.

1일 작다/적다

밤톨
칠판에 오늘 배울 내용이 써 있네.

달래
밑에 쓴 글씨가 너무 적어서 잘 안 보여!

글봇
글씨 크기를 말할 때에는 '작다'라고 말해야 해.

헷갈리기 쉬운 낱말
'작다'와 '적다'의 뜻과 쓰임

친구들, 우리말에는 헷갈리기 쉬운 낱말들이 너무 많죠? 오늘은 '작다'와 '적다'의 뜻과 쓰임에 대해 배워 보아요~.

'작다'와 '적다'의 뜻을 구분해 문장을 바르게 써 보자!

작다 길이, 넓이, 부피 등이 비교 대상이나 보통보다 덜하다.

예 동생 방은 내 방보다 작다.

적다 수나 양, 정도가 일정한 기준에 미치지 못하다.

예 내 구슬 개수가 친구의 구슬 개수보다 적다.

※ '작다'의 반대말은 '크다'이고, '적다'의 반대말은 '많다'입니다.

● 사다리 타기를 하여 도착한 곳의 낱말을 따라 쓰며, 헷갈리기 쉬운 낱말에 대해 알아보아요.

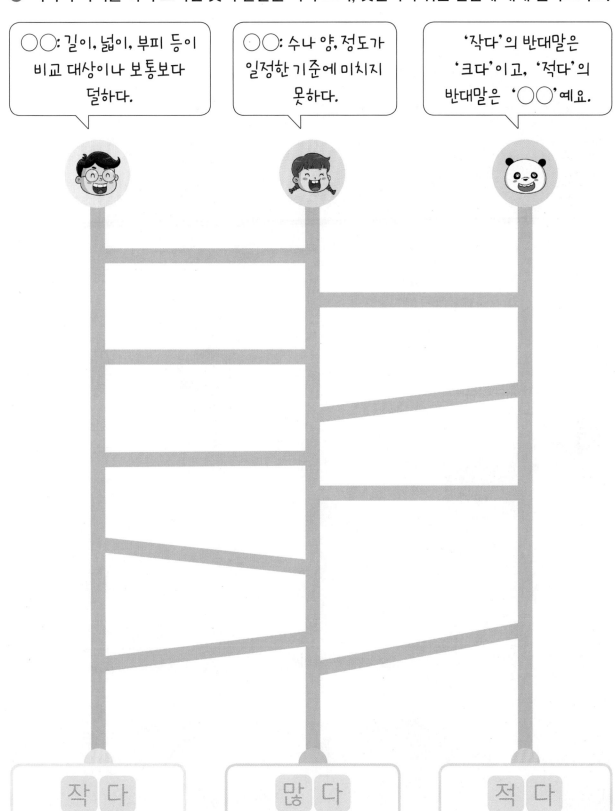

○○: 길이, 넓이, 부피 등이 비교 대상이나 보통보다 덜하다.

○○: 수나 양, 정도가 일정한 기준에 미치지 못하다.

'작다'의 반대말은 '크다'이고, '적다'의 반대말은 '○○'예요.

작다

많다

적다

2
주

● 다음 동물들의 대화를 읽고, '작다'와 '적다'의 뜻을 구분해서 문장을 쓰세요.

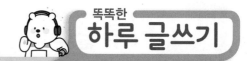
낱말 쓰기

다음 그림을 보고, 빈칸에 알맞은 말을 보기 에서 각각 골라 쓰세요.

보기

작다

적다

(1) 사슴은 기린보다 키가 ☐☐ .

(2) 청 팀보다 홍 팀 동물의 수가 ☐☐ .

문장 쓰기

다음 그림을 보고, 보기 에서 알맞은 말을 골라 문장을 완성하세요.

보기

아빠 발보다 작다.

아빠 발보다 적다.

(1)

내 발은

보기

동생의 딸기보다 양이 작다.

동생의 딸기보다 양이 적다.

(2)

내 딸기는

1

따라 쓰기

잘 듣고, 따라 쓰세요.

❶

| 꽃 | 의 | ∨ | 키 | 가 | ∨ | 작 | 다 | . |

❷

| 구 | 슬 | ∨ | 개 | 수 | 가 | ∨ | 적 | 다 | . |

2

낱말
받아쓰기

잘 듣고, 빈칸에 알맞은 낱말을 받아쓰세요.

❶ 개미는 크기가 [ ][ ] 작다.

❷ 짝꿍보다 내 [ ][ ][ ] 의 개수가 적다.

3

문장
받아쓰기

잘 듣고, 그림에 알맞은 문장을 받아쓰세요.

| | | | | ∨ | | ∨ | | ∨ |
| | | | | | | | | |

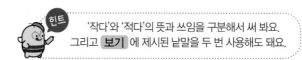
● 다음 그림을 보고, 친구가 쓴 문장 처럼 보기 에서 알맞은 말을 골라 문장을 만들어 쓰세요.

보기

알의	작다	축구공보다
너무	크기가	야구장에
적다	사람이	야구공은

친구가 쓴 문장

| 알 | 의 | ∨ | 크 | 기 | 가 | ∨ |
| 작 | 다 | . | | | | |

①

| | | | | | ∨ | 축 | 구 |
| 공 | 보 | 다 | ∨ | | | . | |

②

| | | | | | ∨ | | |
| | ∨ | 너 | 무 | ∨ | | | . |

힌트 '작다'와 '적다'의 뜻과 쓰임을 구분해서 써 봐요.
그리고 보기 에 제시된 낱말을 두 번 사용해도 돼요.

많다/크다

판판
우아! 찐빵의 개수가 정말 크다!

기찬
크다? '정말 많다!'라고 말해야지~.

달래
'많다'와 '크다' 나도 가끔씩 헷갈려.

와우~ 찐빵이 정말 많네요.
오늘은 '많다'와 '크다'의 뜻과 쓰임에
대해 배워 보아요.

I 😊 입력

'많다'와 '크다'의 뜻을 구분해 문장을 바르게 써 보자!

많다   수나 양, 정도 등이 일정한 기준을 넘다.

　　　예) 친구의 구슬 개수가 내 구슬 개수보다 많다.

크다   길이, 넓이, 높이, 부피 등이 보통 정도를 넘다.

　　　예) 내 방은 동생 방보다 크다.

※ '많다'의 반대말은 '적다'이고, '크다'의 반대말은 '작다'입니다.

● 헷갈리기 쉬운 낱말의 뜻에 맞게 빈칸에 알맞은 말을 쓰고, 퍼즐판에서 찾아 ○표를 하세요.

 ❶ '`많` `다`'는 '수나 양, 정도 등이 일정한 기준을 넘다.'라는 뜻이에요.

 ❷ '☐ ☐'는 '길이, 넓이, 높이, 부피 등이 보통 정도를 넘다.'라는 뜻이에요.

적	수	좋	고
다	가	지	많
실	놀	면	다
크	다	수	영

 '많다'의 반대말은 ❸ '☐ ☐'이고, '크다'의 반대말은 '작다'예요.

◉ 다음 대화를 읽고, '많다'와 '크다'의 뜻을 구분해서 문장을 쓰세요.

🐹 **어휘 풀이**

▽ **부피**   넓이와 높이를 가진 물건이 공간에서 차지하는 크기. 📦 가방의 부피를 줄였다.
▽ **헷갈리기**   여러 가지가 뒤섞여 갈피를 잡지 못해. 📦 유진이와 유정이는 헷갈리기 쉬운 이름이다.

62 ● 똑똑한 하루 글쓰기

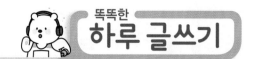

▶정답 및 해설 10쪽

낱말 쓰기

1단계 다음 그림을 보고, 보기 에서 알맞은 낱말을 골라 빈칸에 각각 쓰세요.

보기

많다   크다

(1) 시장에 사람들이 ☐☐.

(2) 복숭아는 체리보다 크기가 더 ☐☐.

문장 쓰기

2단계 다음 문장에 알맞은 낱말을 골라 ○표를 하고, 문장을 다시 쓰세요.

(1) 하마는 몸집이 매우 (많고 , 크고) 힘이 세다.

→
| 하 | 마 | 는 | V | 몸 | 집 | 이 | V | 매 |
| 우 | V | | | V | 힘 | 이 | V | 세 | 다 |.

(2) 옆 반이 우리 반보다 학생 수가 더 (많다 , 크다).

→
옆	V	반	이	V	우	리	V	반
보	다	V	학	생	V	수	가	V	더	V
				.						

1 잘 듣고, 따라 쓰세요.

따라 쓰기

❶ 시 장 에 V 갔 는 데

❷ 정 신 이 V 없 었 어 .

2 잘 듣고, 빈칸에 알맞은 낱말을 받아쓰세요.

낱말
받아쓰기

❶ 형이 [ ] 을 많이 모았다.

❷ 새로 산 [ ] 이 너무 크다.

3 잘 듣고, 그림에 알맞은 문장을 받아쓰세요.

문장
받아쓰기

내 V 짝 은 V ⬚ ⬚ ⬚ V

⬚ ⬚ V ⬚ ⬚ ⬚ ⬚ ⬚

⬤ 다음 그림을 보고, 친구가 쓴 문장 처럼 보기 의 낱말을 사용해 문장을 완성하세요.

보기

| 많다 | 크다 |

힌트 '많다'와 '크다'의 뜻과 쓰임을 구분해서 그림에 알맞은 문장을 써 보세요.

친구가 쓴 문장

언	니	는	∨	나	보	다
옷	이	∨	많	다	.	

언	니	는	∨	나	보	다
키	가	∨	크	다	.	

❶

교	실	에	∨			∨
		.				

❷

노	란	색	∨			∨
제	일	∨			.	

3일 다르다/틀리다

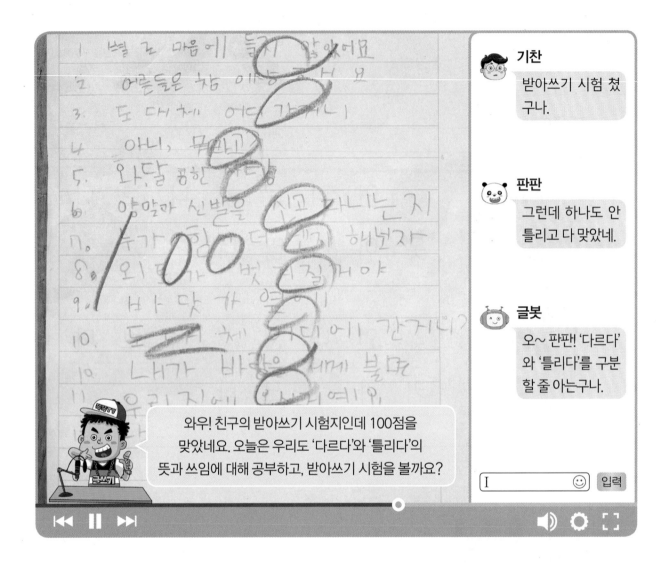

기찬
받아쓰기 시험 쳤구나.

판판
그런데 하나도 안 틀리고 다 맞았네.

글봇
오~ 판판! '다르다'와 '틀리다'를 구분할 줄 아는구나.

와우! 친구의 받아쓰기 시험지인데 100점을 맞았네요. 오늘은 우리도 '다르다'와 '틀리다'의 뜻과 쓰임에 대해 공부하고, 받아쓰기 시험을 볼까요?

'다르다'와 '틀리다'의 뜻을 구분해 문장을 바르게 써 보자!

다르다 비교가 되는 두 대상이 서로 같지 않다.

⑩ 농구와 배구는 규칙이 <u>다르다.</u>

틀리다 셈이나 사실 등이 잘못되거나 어긋나다.

⑩ 국어 시험에서 한 문제를 <u>틀렸다.</u>

※ '다르다'의 반대말은 '같다'이고, '틀리다'의 반대말은 '맞다'입니다.

▶ 정답 및 해설 11쪽

● 사다리 타기를 하여 도착한 곳의 낱말을 따라 쓰며, 헷갈리기 쉬운 낱말에 대해 알아보아요.

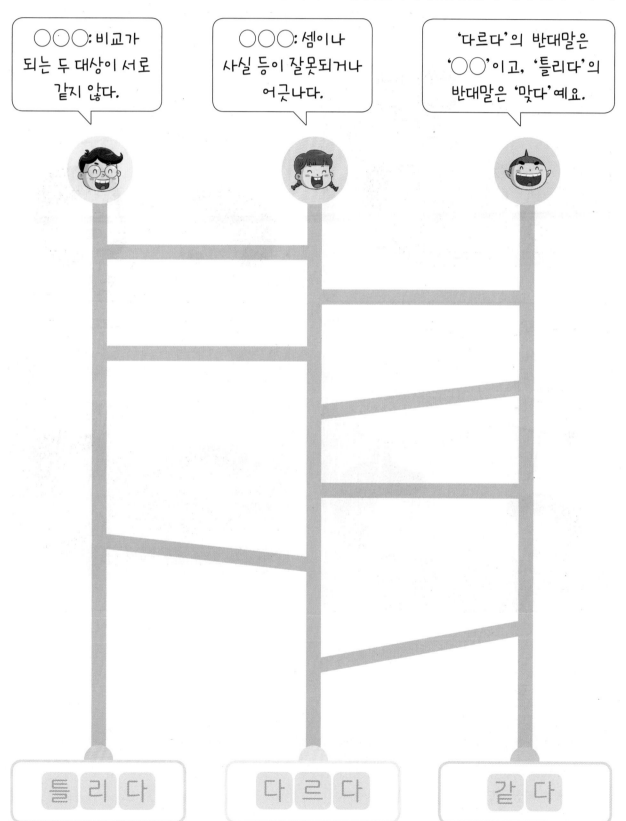

○○○: 비교가 되는 두 대상이 서로 같지 않다.

○○○: 셈이나 사실 등이 잘못되거나 어긋나다.

'다르다'의 반대말은 '○○'이고, '틀리다'의 반대말은 '맞다'예요.

틀리다

다르다

같다

● 다음 만화를 읽고, '다르다'와 '틀리다'의 뜻을 구별해서 문장을 쓰세요.

🐻 **어휘 풀이**

▼**전학**|구를 전 轉, 배울 학 學|　다니던 학교에서 다른 학교로 옮겨 감. 예 친한 친구가 오늘 전학을 갔다.

▼**단발**|끊을 단 斷, 터럭 발 髮|**머리**　귀밑에서 어깨선 정도까지 오는 짧은 머리.
　　예 내 짝꿍은 단발머리가 정말 잘 어울린다.

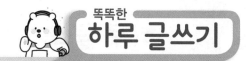

▶정답 및 해설 11쪽

낱말 쓰기

다음 그림을 보고, 보기 에서 알맞은 낱말을 골라 빈칸에 각각 쓰세요.

보기

다르다   틀렸다

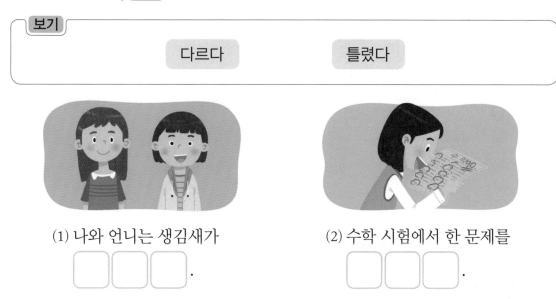

(1) 나와 언니는 생김새가

☐ ☐ ☐ .

(2) 수학 시험에서 한 문제를

☐ ☐ ☐ .

문장 쓰기

다음 그림을 보고, 보기 에서 알맞은 말을 골라 문장을 완성하세요.

보기

글자가

많았다.   틀린

(1) 글쓰기 숙제를 하고 확인해 보니

보기

음식을

다른   좋아한다.

(2) 엄마와 나는 서로

▶ 정답 및 해설 11쪽

1 잘 듣고, 따라 쓰세요.

따라 쓰기

❶ | 전 | 학 | V | 왔 | 어 | 요 | . | |

❷ | 생 | 김 | 새 | 가 | V | 똑 | 같 | 니 | ? |

2 잘 듣고, 빈칸에 알맞은 낱말을 받아쓰세요.

낱말
받아쓰기

❶ 나와 동생은 [ ][ ] 이 완전히 다르다.

❷ 그 말은 [ ][ ][ ][ ][ ] .

3 잘 듣고, 그림에 알맞은 문장을 받아쓰세요.

문장
받아쓰기

| 받 | 아 | 쓰 | 기 | 에 | 서 | V | | | V |
| | | | V | | | | V | | |

▶ 정답 및 해설 11쪽

● 다음 그림을 보고, 친구가 쓴 문장 처럼 밑줄 그은 낱말을 바르게 고치고, 문장을 다시 써 보세요.

친구가 쓴 문장

| 젓 | 가 | 락 | ∨ | 두 | ∨ | 짝 | 의 | ∨ |
| 길 | 이 | 가 | ∨ | 틀 | 리 | 다 | . | |

↓

| 젓 | 가 | 락 | ∨ | 두 | ∨ | 짝 | 의 | ∨ |
| 길 | 이 | 가 | ∨ | 다 | 르 | 다 | . | |

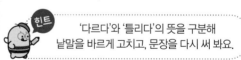
힌트 '다르다'와 '틀리다'의 뜻을 구분해 낱말을 바르게 고치고, 문장을 다시 써 봐요.

| | 점 | 원 | 의 | ∨ | 계 | 산 | 이 | ∨ | 달 |
| 라 | 서 | ∨ | 돈 | 을 | ∨ | 더 | ∨ | 냈 | 다 | . |

↓

| | 점 | 원 | 의 | ∨ | 계 | 산 | 이 | ∨ | |
| | ∨ | 돈 | 을 | ∨ | 더 | ∨ | 냈 | 다 | . |

잊어버리다/잃어버리다

달래
엄마 심부름으로 마트에 갔나 봐~.

밤톨
그런데 무엇을 사야 할지 잃어버린 것 같아.

글봇
기억하지 못할 때에는 '잊어버리다'라는 말을 사용해야 해.

엄마께서 사 오라고 하신 것이 뭐였지?

친구가 마트에 갔는데 무엇을 사야 할지 기억이 나지 않나 보네요. 오늘은 '잊어버리다'와 '잃어버리다'의 뜻과 쓰임에 대해 배워 보아요!

'잊어버리다'와 '잃어버리다'의 뜻을 구분해 문장을 바르게 써 보자!

잊어버리다 한번 알았던 것이나 기억해야 할 것을 모두 기억하지 못하거나 한순간 전혀 생각해 내지 못하다. 예 친구와의 약속을 잊어버리고 있었다.

잃어버리다 가졌던 물건이 자신도 모르게 없어져 그것을 아주 갖지 않게 되다.
예 길에서 용돈을 잃어버렸다.

▶ 정답 및 해설 11쪽

◉ 다음 낱말의 뜻에 맞게 빈칸에 알맞은 말을 따라 쓰세요.

- 잊 어 버 리 다 : 한번 알았던 것이나 기억해야 할 것을 모두 기 억

하지 못하거나 한순간 전혀 생 각 해 내지 못하다.

- 잃 어 버 리 다 : 가졌던 물 건 이 자신도 모르게 없어져 그것을

아주 갖지 않게 되다.

◉ 위에서 따라 쓴 낱말을 모두 찾아 색칠해 보고, 어떤 모양이 나오는지 알아보아요.

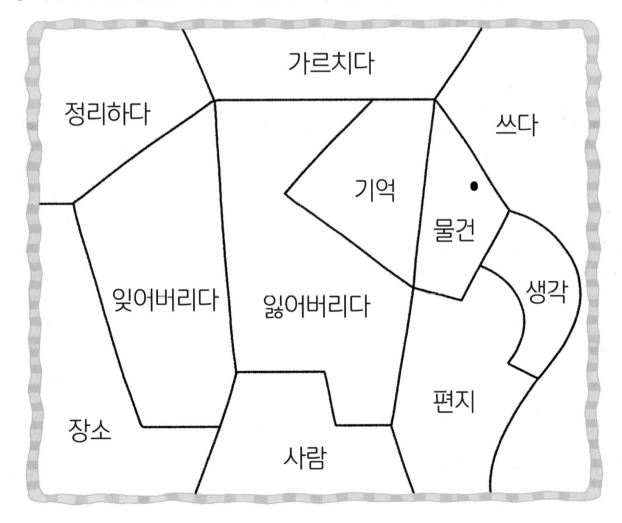

4일 잊어버리다/잃어버리다

● 다음은 서윤이의 일기에서 잘못 쓴 낱말을 바르게 고친 것이에요. 일기를 읽고, '잊어버리다'와 '잃어버리다'의 뜻을 구분해서 문장을 쓰세요.

20○○년 4월 25일 금요일	날씨: 해가 쨍쨍

제목: 속상한 하루

어떤 것을 기억하지 못했으므로 '잊어버리고'로 고쳐 써야 해요.

아침에 늦잠을 자고 정신없이 나오느라 미술 준비물 챙기는 것을 잃어버리고 학교에 갔다. 다행히 짝꿍이 빌려주어서 무사히 미술 수업을 할 수 있었다.

쉬는 시간에 화장실에 가서 거울을 봤는데 아침에 꽂고 나온 머리핀이 없었다. 학교에 늦을까 봐 뛰다가 길에서 잊어버린 것 같았다. 내가 아끼는 꽃 머리핀인데 너무 속상했다.

가졌던 물건이 없어진 것이므로 '잃어버린'으로 고쳐 써야 해요.

내일부터는 일찍 일어나서 준비물도 잘 챙기고 여유롭게 학교에 가야겠다.

어휘 풀이

▼**속상한** 일이 뜻대로 되지 않아 마음이 편하지 않고 괴로운.

　　예 오늘은 아침부터 속상한 일의 연속이었다.

▼**꽂고** 쓰러지거나 빠지지 않게 박아 세우거나 끼우고.

　　예 엄마께서는 꽃병에 꽃을 꽂고 계셨다.

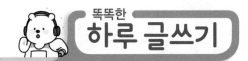

낱말 쓰기

1 다음 그림을 보고, 보기 에서 알맞은 말을 각각 골라 빈칸에 쓰세요.
단계

보기

| 잃어버렸다 |
| 잊어버렸다 |

(1) 미술 준비물 챙기는 것을

☐☐☐☐☐.

(2) 아끼는 꽃 머리핀을 길에서

☐☐☐☐☐.

문장 쓰기

2 다음 보기 에서 알맞은 말을 골라 그림에 어울리는 문장을 완성해 보세요.
단계

보기

비밀번호를

현관   잊어버렸다.

(1)

현	관		∨						∨

보기

잃어버렸다.

지갑을   길에서

(2)

길	에	서	∨				∨

1 잘 듣고, 따라 쓰세요.

따라 쓰기

❶ | 정 | 신 | 없 | 이 | V | 나 | 오 | 느 | 라 |

❷ | 머 | 리 | 핀 | 이 | V | 없 | 었 | 다 | . |

2 잘 듣고, 빈칸에 알맞은 낱말을 받아쓰세요.

낱말
받아쓰기

❶ | | | 에 살았던 친구의 이름을 잊어버렸다.

❷ 내 보물 상자의 | | | 를 잃어버렸다.

3 잘 듣고, 그림에 알맞은 문장을 받아쓰세요.

문장
받아쓰기

| 잊 | 어 | 버 | 렸 | 던 | V | | | |

| | V | | | | V | | | |

● 다음 만화를 읽고, 빈칸에 알맞은 말을 보기 에서 골라 문장을 완성해 보세요.

보기

잊어버릴까   잃어버렸니

잃어버렸어   잊어버리지

지수야, 여름 방학 잘 보냈지?

응. 너도 잘 보냈지?

나는 가족과 함께 홍콩 여행을 다녀왔어.

비행기도 타고 좋았겠다. 홍콩 여행 재미있었어?

구경도 하고 맛있는 것도 많이 먹었어. 그런데 마지막 날 카메라를
❶ _____.

정말? 그럼 여행하는 동안 찍은 사진도 모두
❷ _____?

응, 가족과 여행했던 추억을 금방
❸ _____
봐 걱정이 돼.

그럼
❹ _____
않도록 글로 써 두는 건 어때?

힌트   '잊어버리다'와 '잃어버리다'의 뜻과 쓰임을 구분해서
빈칸에 알맞은 말을 써 봐요.

5일 가리키다/가르치다

달래
선생님께서 공부를 가리키고 계시네.

판판
가리키고? 맞는 표현인가?

글봇
모르는 것을 알려 줄 때는 '가르치다'가 맞는 표현이야.

I 😊 입력

오늘은 '가리키다'와 '가르치다'의 뜻과 쓰임에 대해 공부해 봐요~.

'가리키다'와 '가르치다'의 뜻을 구분해 문장을 바르게 써 보자!

가리키다 손가락 등으로 어떤 방향이나 대상을 집어서 보이거나 말하거나 알리다.
예) 손가락으로 친구의 가방을 가리켰다.

가르치다 지식이나 기능 등을 깨닫게 하거나 교육을 받게 하다. 또는 모르는 것을 알려 주다. 예) 형이 나에게 태권도를 가르쳐 주었다.

◉ 그림에 맞는 퍼즐 모양을 찾아 ○표를 하고, 헷갈리기 쉬운 낱말의 뜻에 대해 알아보아요.

2주

인형 코너

가르치다

가리키다

손가락 등으로
어떤 방향이나 대상을
집어서 보이거나
말하거나 알리다.

 헷갈리기 쉬운 낱말의 뜻을 생각하며 문장을 따라 쓰세요.

| 친 | 구 | 가 | V | 손 | 으 | 로 | V | 인 |
| 형 | 을 | V | 가 | 리 | 켰 | 다 | . | |

가리키다/가르치다

● 다음 그림을 보고, '가리키다'와 '가르치다'의 뜻을 구분해서 문장을 쓰세요.

여자아이가 서랍장 위에 있는 곰 인형을 가리키고 있다.

시곗바늘이 1시를 가리키고 있다.

외국인 관광객에게 길을 가르쳐 주었다.

엄마께서 동생에게 글자를 가르치고 계신다.

🐭 **어휘 풀이**

▼ **서랍장** 여러 개의 서랍으로 구성되어 있는 장. 예 옷을 서랍장에 넣었다.

▼ **시곗**|때 시 時, 꾀할 계 計|**바늘** 시간, 분, 초 따위를 가리키는 시계의 바늘.

　예 시곗바늘이 12시 정각을 가리키고 있었다.

▼ **관광객**|볼 관 觀, 빛 광 光, 손님 객 客| 다른 지방이나 다른 나라에 가서 그곳의 풍경, 풍습, 문물 등을 구경하러 다니는 사람. 예 공항에는 해외로 나가는 관광객들이 많다.

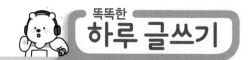
낱말 쓰기

1 단계 다음 그림을 보고, 보기 에서 알맞은 낱말을 골라 빈칸에 각각 쓰세요.

보기

가리켜   가르쳐   가리키는   가르치는

(1) 친구가 [ ][ ][ ][ ]

곳을 보았다.

(2) 언니가 춤을 [ ][ ][ ]

주었다.

문장 쓰기

2 단계 다음 그림을 보고, 알맞은 문장을 보기 에서 각각 골라 쓰세요.

보기

선생님께서 뺄셈을 가리켜 주셨다.

선생님께서 뺄셈을 가르쳐 주셨다.

(1)

						∨			∨

				∨					

보기

아이는 장난감을 가리키며 울었다.

아이는 장난감을 가르치며 울었다.

(2)

					∨				∨

					∨				

받아쓰기 듣기

▶정답 및 해설 13쪽

1 잘 듣고, 따라 쓰세요.

따라 쓰기

❶ 서 랍 장 V 위 에 V 있 는

❷ 외 국 인 V 관 광 객 에 게

2 잘 듣고, 빈칸에 알맞은 낱말을 받아쓰세요.

낱말 받아쓰기

❶ [ ] 이 두 시를 가리키고 있었다.

❷ 아저씨께서 [ ] 의 위치를 가르쳐 주셨다.

3 잘 듣고, 그림에 알맞은 문장을 받아쓰세요.

문장 받아쓰기

아 이 가 V [ ] V

[ ] V [ ]

○ 다음 편지를 읽고, 빈칸에 알맞은 말을 보기 에서 골라 문장을 완성해 보세요.

선생님께

선생님, 안녕하세요? 저는 수혁이예요.

어제 국어 시간에 선생님께서 헷갈리기 쉬운 낱말에 대해서

❶ [   ]

집중하지 않아서 정말 죄송해요.

짝꿍이 ❷ [   ]

창밖에 있는 새를 보느라 수업에 집중하지 못했어요.

앞으로는 선생님 말씀을 집중해서 잘 들을게요.

그럼, 안녕히 계세요.

20○○년 4월 17일

수혁 올림

보기

창밖을 손가락으로 가리켜

열심히 가르쳐 주셨는데

힌트 '가리키다'와 '가르치다'의 뜻을 잘 생각해 보고, 편지의 내용에 맞게 구분하여 문장을 완성해 보세요.

2주 특강

생활 어휘 다음 만화를 보며 '꼬드기다'라는 표현의 뜻을 알아보고, 상황에 맞게 써 보세요.

꼬드기다

2주

표현의 뜻을 알아봐요!

꼬드기다

이 말은 "어떠한 일을 하도록 남의 마음을 꾀어 부추기다."라는 뜻으로 쓰이는 표현이랍니다.

이제 이 표현을 넣어 상황에 맞게 써 볼까요?

공부 그만하고 나랑 게임하자!

형이 공부하고 있는 나에게 게임을 하자

고 계속 꼬 드 긴 다 .

● 헷갈리기 쉬운 낱말이 알맞게 쓰인 문장을 찾아 출구까지 가는 길을 선으로 이어 보세요.

창의　2주에 나왔던 **헷갈리기 쉬운 낱말의 뜻과 쓰임**을 구분해 미로를 통과해 봅니다.

● 다음 그림과 설명을 보고, 홍 팀 동물 중 키가 가장 작은 동물은 누구인지 쓰세요.

• 호랑이는 코끼리보다 키가 작다.
• 코알라는 호랑이보다 키가 작다.

 홍 팀 동물 중 키가 가장 작은 동물은 ☐ ☐ ☐ 예요.

 융합
국어+수학
'**작다**'의 뜻과 쓰임을 익혀 **동물의 키를 비교**해 봅니다.

다음 헷갈리기 쉬운 낱말이 바르게 쓰인 칸을 모두 지나 도착 지점까지 갈 수 있도록 코딩 카드의 빈칸에 알맞은 숫자를 쓰세요.

코딩 헷갈리기 쉬운 낱말을 바르게 구분하여 도착 지점까지 가려면 어떻게 해야 하는지 코딩 카드를 완성해 봅니다.

▶정답 및 해설 14쪽

● 친구가 손으로 엔서울타워를 가리켜 외국인에게 길을 가르쳐 주고 있어요. 두 그림에서 다른 부분을 다섯 군데 찾아 ○표를 하세요.

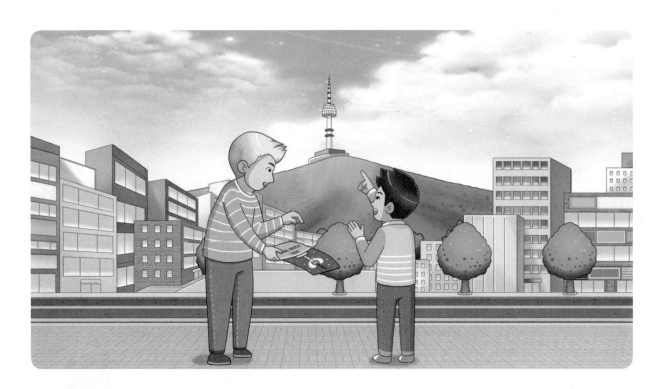

창의　'가리키다'와 '가르치다'의 뜻과 쓰임을 떠올리며 두 그림에서 **다른 부분**을 모두 찾아봅니다.

1 다음은 어떤 낱말의 뜻인지 각각 찾아 선으로 이으세요.

(1) 수나 양, 정도가 일정한 기준에 미치지 못하다.
· ① 작다

(2) 길이, 넓이, 부피 등이 비교 대상이나 보통보다 덜하다.
· ② 적다

글쓰기

2 다음 그림을 보고, 빈칸에 알맞은 말을 쓰세요.

내 발이 작구나.

내 발은 아빠 발보다 ☐☐ .

3 다음은 어떤 낱말의 뜻인지 알맞은 것에 ◯표를 하세요.

길이, 넓이, 높이, 부피 등이 보통 정도를 넘다.

(1) 많다 (　　　)

(2) 크다 (　　　)

4 다음 그림을 보고, 바르게 말한 친구는 누구인지 쓰세요.

희수: 노란색 우산이 제일 많다.
서윤: 노란색 우산이 제일 크다.

(　　　　　　　　　)

5 다음 중 '다르다'의 뜻을 바르게 말한 친구의 이름에 ◯표를 하세요.

비교가 되는 두 대상이 서로 같지 않다.

셈이나 사실 등이 잘못되거나 어긋나다.

글봇

판판

▶ 정답 및 해설 15쪽

점수

2주

6 다음 빈칸에 알맞은 말을 보기 에서 골라 문장을 완성하고 따라 쓰세요.

보기

다르다	틀리다

	젓	가	락	V	두
짝	의	V	길	이	가
				.	

7 다음 일기를 읽고, 밑줄 그은 낱말을 바르게 고쳐 쓰세요.

쉬는 시간에 화장실에 가서 거울을 봤는데 아침에 꽂고 나온 머리핀이 없었다. 학교에 늦을까 봐 뛰다가 길에서 <u>잊어버린</u> 것 같았다. 내가 아끼는 꽃 머리핀인데 너무 속상했다.

잊어버린 → ☐☐☐☐

8 다음은 어떤 낱말의 뜻인지 빈칸에 알맞은 말을 쓰세요.

한번 알았던 것이나 기억해야 할 것을 모두 기억하지 못하거나 한순간 전혀 생각해 내지 못하다.

미술 준비물 챙기는 것을 ☐☐☐☐☐.

9 다음 그림의 상황을 알맞게 말한 친구의 이름을 쓰세요.

지선: 친구가 손으로 인형을 가리켰다.
재영: 친구가 손으로 인형을 가르쳤다.

( )

10 다음 밑줄 그은 낱말의 사용이 알맞으면 ○표를, 알맞지 않으면 ✕표를 하세요.

(1) 시곗바늘이 1시를 <u>가르치고</u> 있다.

( )

(2) 외국인 관광객에게 길을 <u>가르쳐</u> 주었다.

( )

(3) 언니가 나에게 춤을 <u>가리켜</u> 주었다.

( )

3주

3주에는 무엇을 공부할까? ❶

이야기를 꾸며 써 보자!

1-1 원인과 결과에 따라 이야기를 꾸며 쓰는 방법으로 알맞은 것을 골라 ○표를 하세요.

(1) 일이 일어난 까닭이 무엇인지, 그 결과 어떤 일이 일어났는지 쓴다.　（　　　）

(2) 먼저 어떤 문제가 생겼는지 살펴보고, 그와 같은 문제를 어떻게 해결할 수 있을
지 생각하여 쓴다.　（　　　）

1-2 다음 그림을 보고, 원인이 되는 일과 결과가 되는 일을 찾아 선으로 이으세요.

원인

(1) 　·

· ① 그러자 주름투성이 착한 할아버지의 얼굴이 젊은이의 얼굴로 변했어요.

결과

(2) 　·

· ② 어느 날, 착한 할아버지는 나무를 하러 산속 깊이 들어갔다가 샘을 발견하고 샘물을 꿀꺽 꿀꺽 마셨어요.

▶ 정답 및 해설 16쪽

2-1
그림의 차례를 정해 이야기를 꾸며 쓰는 방법으로 알맞지 **않은** 것을 골라 ×표를 하세요.

(1) 이야기가 그림과 어울리게 꾸며 쓴다. ( )

(2) 이야기의 흐름과 상관없이 꾸며 쓴다. ( )

(3) 일어난 일들이 서로 원인과 결과로 연결되게 꾸며 쓴다. ( )

2-2
다음은 그림의 차례를 정해 꾸며 쓴 이야기예요. 그림의 차례를 어떻게 정한 것인지 숫자를 각각 쓰세요.

> 채민이는 우주인으로 뽑혀 우주여행을 떠났어요. 그런데 연료 부족으로 한 행성에 불시착하게 되었어요. 채민이는 그곳에서 외계인을 만나 수레로 짐 나르는 일을 도와주었어요. 외계인은 고맙다며 채민이에게 연료의 재료가 있는 곳을 알려 주었어요.

(❷) → (❶) → ( ) → ( )

1일 그림(사진) 보고 이야기 꾸며 쓰기

달래
나는 우주여행을 떠나는 이야기가 떠올라.

밤톨
나는 내가 살던 바 밤별에서 지구로 왔을 때가 떠올라.

글봇
밤톨아, 글쓰기를 배우러 온 것도 떠오르지? 그럼 이제 공부 좀 열심히 하자!

I ☺ 입력

오늘은 그림이나 사진을 보고, 이야기를 상상하여 꾸며 써 보는 공부를 할 거예요. 이 사진을 보고, 떠오르는 생각부터 말해 볼까요?

⭐ 그림이나 사진을 보고, 이야기를 상상하여 꾸며 써라!

그림이나 사진을 보고, 이야기를 상상하여 꾸며 쓸 때에는

먼저 언제, 어디에서, 누구에게 일어나는 일일지 상상해요.

그런 다음 어떤 일이 일어날지 상상하여 꾸며 써요.

● 사다리 타기를 하여 도착한 곳의 낱말을 따라 쓰며, 그림이나 사진을 보고 이야기를 상상하여 꾸며 쓰는 방법을 알아보아요.

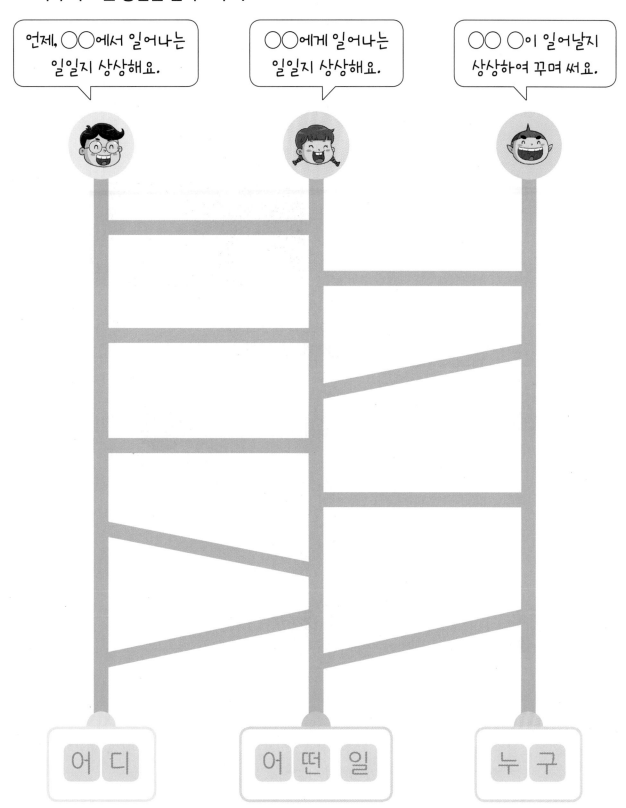

언제, ○○에서 일어나는 일일지 상상해요.

○○에게 일어나는 일일지 상상해요.

○○ ○이 일어날지 상상하여 꾸며 써요.

어디

어떤 일

누구

그림(사진) 보고 이야기 꾸며 쓰기

◉ 다음 대화를 읽고, 사진을 보고 상상한 이야기를 완성해 보세요.

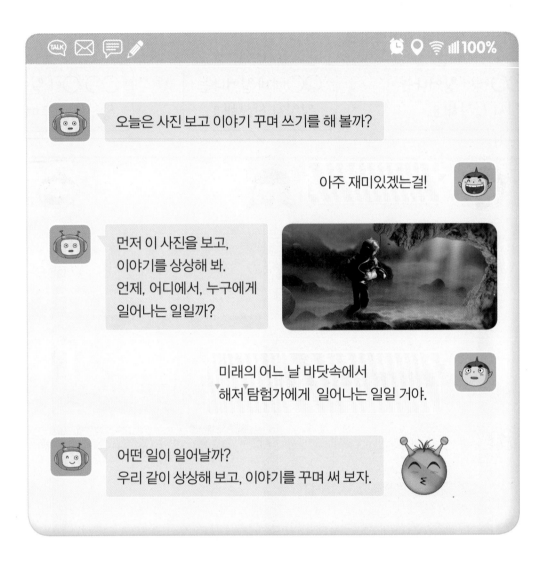

오늘은 사진 보고 이야기 꾸며 쓰기를 해 볼까?

아주 재미있겠는걸!

먼저 이 사진을 보고,
이야기를 상상해 봐.
언제, 어디에서, 누구에게
일어나는 일일까?

미래의 어느 날 바닷속에서
해저 탐험가에게 일어나는 일일 거야.

어떤 일이 일어날까?
우리 같이 상상해 보고, 이야기를 꾸며 써 보자.

어휘 풀이

▼ **해저**|바다 해 海, 밑 저 底|　바다의 밑바닥.
　　㉔ 해저에 보물을 가득 실은 배가 가라앉아 있다는 소문이 있다.

▼ **탐험가**|찾을 탐 探, 험할 험 險, 집 가 家|　위험을 참고 견디며 어떤 곳을 찾아가서 살펴보고 조사하는 일을 전문으로 하는 사람. ㉔ 나는 남극 탐험가가 되고 싶다.

▶정답 및 해설 16쪽

낱말 쓰기

다음은 사진을 보고 어떤 일이 일어날지 상상한 것이에요. 빈칸에 알맞은 낱말을 보기 에서 각각 골라 쓰세요.

보기

고래 　　인어 　　운동장 　　잠수함

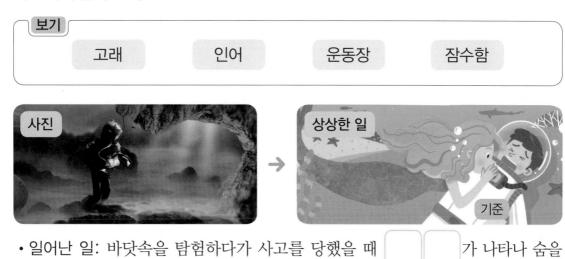

사진 　　→　　상상한 일 　　기준

• 일어난 일: 바닷속을 탐험하다가 사고를 당했을 때 　　　　가 나타나 숨을 불어 넣어 주고 　　　　　까지 데려다주었다.

문장 쓰기

1에서 쓴 일어난 일을 넣어 사진을 보고 상상한 이야기를 완성해 보세요.

❶ 해저 탐험가인 기준이는 잠수함을 타고 바닷속 깊이 들어갔어요.

❷ 바닷속을 탐험하던 기준이는 큰 물고기의 공격을 받아 산소통을 잃어버렸어요.

❸ 그때 _____

❹ 기준이는 고마운 마음에 자신이 가장 아끼던 시계를 인어에게 주었어요.

1 잘 듣고, 따라 쓰세요.

따라 쓰기

❶

| 미 | 래 | 의 | V | 어 | 느 | V | 날 |

❷

| 해 | 저 | V | 탐 | 험 | 가 |

2 잘 듣고, 빈칸에 알맞은 낱말을 받아쓰세요.

낱말
받아쓰기

❶ | | | | 깊이 들어갔어요.

❷ 산소통을 | | | | | | .

3 잘 듣고, 그림에 알맞은 문장을 받아쓰세요.

문장
받아쓰기

| | | | | V | | | V | |

| | | | V | | | | | |

● 그림을 보고 이야기를 상상해서 꾸며 썼어요. 다음 대화를 읽고, 빈칸에 알맞은 내용을 넣어 상상한 이야기를 완성해 보세요.

3주

채민이와 현솔이가 점심시간에 학교에서 딱지치기를 했어요.	＿＿＿＿＿＿＿＿＿＿＿＿＿＿＿＿ ＿＿＿＿＿＿＿＿＿＿＿＿＿＿＿＿

집에 돌아온 현솔이는 채민이에게 미안한 마음이 들어 사과하는 문자 메시지를 보냈어요.	두 사람은 다시 만나 딱지치기를 하며 재미있게 놀았어요.

이야기의 일부분 바꾸어 쓰기

밤톨
어디에 가는지는 잘 모르지만 나도 출발~!

기찬
글쓰기 공부를 시작한다는 말이잖아.

판판
그렇군. 얘들아, 글쓰기 공부 열심히 해. 난 대나무의 잎을 구하러 출발~!

오늘은 이야기를 읽고, 이야기의 일부분을 바꾸어 써 볼 거예요. 신나게 글쓰기를 공부하러 출발~!

I 😊 입력

이야기의 일부분을 바꾸어 써라!

이야기를 읽고, 이야기의 일부분을 바꾸어 쓸 때에는
먼저 어느 부분을 바꾸어 쓸지 정해요. 그런 다음 바꾸어 쓸 부분에서
일어난 일을 새로운 일로 바꾸어 써요. 마지막으로 다 쓰고 난 후에는
바꾸어 쓴 부분이 이야기의 앞뒤 내용과 자연스럽게 이어지는지 살펴보아요.

◉ 이야기의 일부분을 바꾸어 쓰는 방법에 맞게 빈칸에 알맞은 말을 쓰고, 퍼즐판에서 찾아 ○표를 하세요.

❶ 어 느 부분을 바꾸어 쓸지 정해요.

바꾸어 쓸 부분에서 일어난 일을 ❷ ☐ ☐ ☐ 일로 바꾸어 써요.

보	라	철	새
어	느	뽕	로
머	방	귀	운
니	이	내	용

바꾸어 쓴 부분이 이야기의 앞뒤 ❸ ☐ ☐ 과 자연스럽게 이어지는지 살펴보아요.

이야기의 일부분 바꾸어 쓰기

◉ 다음 이야기를 읽고, 장면 **4**의 내용을 바꾸어 쓰세요.

다람쥐들이 도토리 멀리 던지기 놀이를 했어요.

먹이를 찾고 있던 토끼가 도토리에 맞았어요.

화가 난 토끼가 다람쥐들에게 잘못을 따졌어요.

다람쥐들은 토끼에게 사과하며 토끼풀이 있는 곳을 알려 주었어요.

토끼는 다람쥐들과 둘도 없는 친구가 되었어요.

🐹 **어휘 풀이**

▼ **토끼풀** 가지는 땅으로 길게 뻗으며 거꾸로 된 심장 모양의 잎이 서너 쪽씩 달리고 초여름에 흰 꽃이 피는 풀.

▼ **둘도 없는** 오직 하나뿐이고 더 이상은 없는.

예 너는 나에게 <u>둘도 없는</u> 소중한 친구야.

▲ 토끼풀

낱말 쓰기

1 단계

다음은 장면 ❹의 내용을 바꾸어 쓴 것이에요. 바뀐 그림을 보고, 빈칸에 알맞은 낱말을 보기 에서 각각 골라 쓰세요.

보기

| 딸기 | 사과 | 궁금한 | 미안한 |

다람쥐들은 ☐☐☐ 마음이 들었어요. 그래서 나무에 올라가 ☐☐를 따서 토끼에게 주었어요.

문장 쓰기

2 단계

1 에서 쓴 내용을 한 문장으로 정리하여 쓰세요.

다람쥐들은 ☐☐☐☐☐ 이 들어서 나무에 올라가 ☐
☐☐☐☐ 토끼에게 주었어요.

한 편 쓰기

3 단계

2 에서 쓴 문장을 넣어 장면 ❹의 내용을 바꾸어 쓰세요.

다	람	쥐	들	은	V				V
			V				V		
	V					V			V
		V						V	주	었
어	요	.							

1 잘 듣고, 따라 쓰세요.

따라 쓰기

❶ | | 도 | 토 | 리 | 에 | V | 맞 | 았 | 어 | 요 |.

❷ | 잘 | 못 | 을 | V | 따 | 졌 | 어 | 요 |.

2 잘 듣고, 빈칸에 알맞은 낱말을 받아쓰세요.

낱말
받아쓰기

❶ 도토리 멀리 던지기 [|]를 했어요.

❷ [| | |]은 토끼에게 사과했어요.

3 잘 듣고, 그림에 알맞은 문장을 받아쓰세요.

문장
받아쓰기

| | | | V | | V | | | V

| | | | | | | | |

◉ 다음 이야기를 읽고, 장면 ❸의 내용을 바꾸어 쓰려고 해요. 바뀐 그림을 잘 보고, 보기 에서 알맞은 내용을 한 가지 골라 빈칸에 쓰세요.

내 방에서 놀던 동생이 실수로 내가 좋아하는 동화책을 찢었어요.

나는 화가 나서 동생을 내 방에서 내쫓았어요.

동생이 찢어진 책에 반창고를 붙여 나에게 내밀었어요.

나는 동생의 마음이 너무 예뻐서 동생을 꼭 안아 주었어요.

바뀐 그림

힌트
두 가지 내용 중 마음에 드는 것을 골라 보세요.
어떤 내용을 넣어도 모두 답이 될 수 있어요.

보기

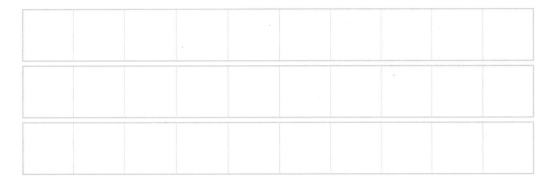

동생이 새 책을 사라며 자신의 돼지 저금통을 내밀었어요.

동생이 미안하다며 아끼던 돼지 인형을 나에게 주었어요.

문제를 해결하는 이야기 꾸며 쓰기

밤톨
유리병을 깨뜨려야지.

달래
마트에 가서 생수를 사 먹는 게 낫지 않을까?

기찬
얘들아, 이야기 속 상황에 맞게 해결 방법을 생각해 보란 말이야!

오늘은 문제를 해결하는 이야기를 꾸며 써 볼 거예요. 이 그림을 보고, 까마귀가 어떻게 하면 유리병 속의 물을 마실 수 있을지 생각해 보세요.

입력

문제를 해결하는 이야기를 꾸며 써라!

문제를 해결하는 이야기를 꾸며 쓰려면

먼저 어떤 문제가 생겼는지 살펴보아요. 그런 다음

그와 같은 문제를 어떻게 해결할 수 있을지 생각하여 쓰면 된답니다.

● 그림에 맞는 퍼즐 모양을 찾아 ◯표를 하고, 문제를 해결하는 이야기를 꾸며 쓰는 방법을 알아보아요.

문제를
◯◯◯
해결할 수
있을지 써요.

 문제를 해결하는 이야기를 꾸며 쓰는 방법을 생각하며 문장을 따라 쓰세요.

드	디	어	V	까	마	귀	들	은	V
물	을	V	마	실	V	수	V	있	는	V
방	법	을	V	떠	올	렸	어	요	.

● 다음 이야기에서 까마귀들이 문제를 어떻게 해결했을지 상상해 보고, 장면 ❸에 들어갈 내용을 꾸며 쓰세요.

까마귀의 지혜

목이 마른 까마귀들이 우물을 찾아갔지만, 우물도 말라 물을 마실 수 없었어요.

그런데 우물 옆에 물이 조금 들어 있는 목이 좁고 긴 유리병이 있었어요.

마침내 물이 유리병 위에까지 차올라 까마귀들은 물을 마실 수 있었어요.

🐻 어휘 풀이

▼우물 물을 긷기 위해 땅을 파서 지하수가 모이도록 한 곳.
  예 옛날 사람들은 우물에서 물을 길어 먹었다고 한다.
▼목 어떤 물건에서 동물의 목과 비슷한 부분. 예 비가 많이 와서 목이 긴 장화를 신었다.

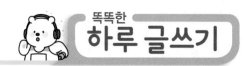
낱말 쓰기

1 단계 다음 그림을 보고, 빈칸에 알맞은 낱말을 보기 에서 각각 골라 쓰세요.

보기

| 길어 | 짧아 |
| 잎사귀 | 돌멩이 |

까마귀들은 부리가 ☐☐ 유리병 속의 물을 마실 수 없었어요. 까마귀들은

유리병 속에 ☐☐☐ 를 채워 넣었어요.

문장 쓰기

2 단계 **1**에서 쓴 내용을 한 문장으로 정리하여 쓰세요.

부리가 ☐☐☐☐ 유리병 속의 물을 마실 수 없었던 까마귀들은 ☐☐

☐ 속에 ☐☐☐☐☐☐ 넣었어요.

한 편 쓰기

3 단계 **2**에서 쓴 문장을 넣어 장면 ❸에 들어갈 내용을 꾸며 쓰세요.

부	리	가	∨			∨	
	∨			∨		∨	∨
	∨				∨	까	마	귀	들
은	∨			∨		∨	
			∨			∨	넣	었	어
요	.						

▶ 정답 및 해설 18쪽

1 잘 듣고, 따라 쓰세요.

따라 쓰기

❶ | | 까 | 마 | 귀 | 의 | V | 지 | 혜 | |

❷ | | 우 | 물 | 을 | V | 찾 | 아 | 갔 | 어 | 요 | . |

2 잘 듣고, 빈칸에 알맞은 낱말을 받아쓰세요.

낱말
받아쓰기

❶ 우물도 말라 물을 마실 수 | | | | | .

❷ 목이 | | | 긴 유리병이 있었어요.

3 잘 듣고, 그림에 알맞은 문장을 받아쓰세요.

문장
받아쓰기

| | | | V | | | V | |

| | | V | | | | | |

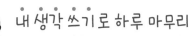
● 다음 이야기에서 곰과 토끼가 문제를 어떻게 해결했을지 상상해 보고, 장면 ❹에 들어갈 내용을 보기 에서 한 가지 골라 쓰세요.

곰과 토끼가 공놀이를 하고 있어요.

공이 언덕 아래로 굴러갔어요.

공이 구덩이에 빠졌네요.

❹

?

보기

곰과 토끼는 두더지에게 공을 꺼내 달라고 부탁했어요.

곰과 토끼는 구덩이에 물을 부어 공이 떠오르게 했어요.

곰	과		토	끼	는		

 힌트

구덩이 속에 빠진 공을 꺼내는 방법에 대해
생각해 보고, 장면 ❹에 들어갈 내용을 골라 써 보세요.
두 가지 내용 중 어떤 내용을 넣어도 답이 될 수 있어요.

밤톨
마을 어린이들이 쓰레기를 함부로 버렸다.(원인)

달래
마을 전체가 아무도 살 수 없는 쓰레기장으로 변하고 말았다.(결과)

글봇
이야기의 결말이 아주 무서울 것 같군.

I 😊 입력

이 그림을 보고, 원인과 결과에 따라 이야기를 꾸며 써 볼까요?

원인과 결과에 따라 이야기를 꾸며 써라!

원인과 결과에 따라 이야기를 꾸며 쓰면 읽는 이가 이야기를 좀 더 쉽게 이해할 수 있어요. 원인과 결과에 따라 이야기를 꾸며 쓸 때에는 일이 일어난 까닭이 무엇인지, 그 결과 어떤 일이 일어났는지 써요. 이때에는 일이 일어난 원인과 결과를 자연스럽게 연결하여 써야 해요.

◉ 원인과 결과에 따라 이야기를 꾸며 쓰는 방법에 맞게 빈칸에 알맞은 말을 쓰고, 퍼즐판에서 찾아 ○표를 하세요.

일이 일어난 ❶ 까 닭 이 무엇인지 써요.

그 ❷ ☐ ☐ 어떤 일이 일어났는지 써요.

결	정	신	라
과	수	연	결
장	리	지	국
끼	(까	닭)	발

일이 일어난 원인과 결과를 자연스럽게 ❸ ☐ ☐ 하여 써요.

원인과 결과에 따라 이야기 꾸며 쓰기

○ 다음 이야기를 읽고, 장면 ❸에 들어갈 원인을 상상하여 꾸며 쓰세요.

젊어지는 샘물

어느 날, 착한 할아버지는 나무를 하러 산속 깊이 들어갔다가 샘을 발견하고 샘물을 꿀꺽꿀꺽 마셨어요.

그러자 주름투성이 착한 할아버지의 얼굴이 젊은이의 얼굴로 변했어요.

샘물을 마신 할머니도 젊어졌어요.

어휘 풀이

▼ **샘** 땅속에서 맑은 물이 솟아 나오는 곳. 또는 그 물.
　　 ㉞ 오랫동안 비가 오지 않아 샘도 모두 말라 버렸다.
▼ **주름투성이** 온통 주름이 진 상태. ㉞ 할머니께서는 주름투성이의 손으로 내 손을 꼭 잡으셨다.

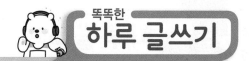

▶ 정답 및 해설 19쪽

낱말 쓰기

다음 그림을 보고, 빈칸에 알맞은 낱말을 보기 에서 각각 골라 쓰세요.

보기

밭	샘

보약

샘물

(1) 이튿날, 착한 할아버지는 할머니를 그 ⬜ 으로 데려갔어요.

(2) 착한 할아버지는 할머니도 그 ⬜⬜ 을 마시게 했어요.

문장 쓰기

1 에서 쓴 내용을 한 문장으로 정리하여 쓰세요.

이튿날, 착한 할아버지는 할머니를 그 ⬜⬜⬜ 데려가 할머니도 그
⬜⬜⬜⬜⬜⬜ 했어요.

한 편 쓰기

2 에서 쓴 문장을 넣어 장면 ❸ 에 들어갈 원인을 쓰세요.

	이	튿	날	,				∨			
			∨						∨		∨
			∨					∨	할	머	
니	도	∨			∨				∨		
			∨								

1 잘 듣고, 따라 쓰세요.

따라 쓰기

❶ 젊 어 지 는 ∨ 샘 물

❷ 샘 을 ∨ 발 견 했 어 요 .

2 잘 듣고, 빈칸에 알맞은 낱말을 받아쓰세요.

낱말
받아쓰기

❶ 샘물을 　　　　 마셨어요.

❷ 　　　의 얼굴로 변했어요.

3 잘 듣고, 그림에 알맞은 문장을 받아쓰세요.

문장
받아쓰기

　　　　∨　　∨　　

　　∨

▶ 정답 및 해설 19쪽

● 원인과 결과에 따라 「젊어지는 샘물」의 뒷이야기를 상상하여 완성해 보세요.

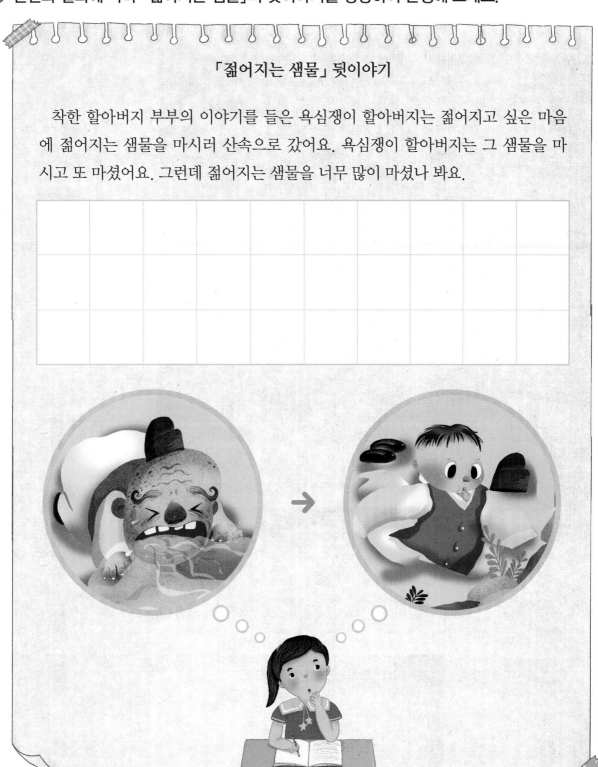

「젊어지는 샘물」 뒷이야기

　착한 할아버지 부부의 이야기를 들은 욕심쟁이 할아버지는 젊어지고 싶은 마음에 젊어지는 샘물을 마시러 산속으로 갔어요. 욕심쟁이 할아버지는 그 샘물을 마시고 또 마셨어요. 그런데 젊어지는 샘물을 너무 많이 마셨나 봐요.

힌트　젊어지는 샘물을 너무 많이 마신 일이 원인이 되어
어떤 결과가 생겼을지 상상하여 꾸며 써 보세요.

그림의 차례를 정해 이야기 꾸며 쓰기

그림의 차례를 정해 이야기를 꾸며 써라!

그림의 차례를 정해 이야기를 꾸며 쓸 때에는

이야기의 흐름이 자연스럽게 꾸며 써야 해요.

또 이야기가 그림과 어울리게 꾸며 써야 하고,

일어난 일들이 서로 원인과 결과로 연결되게 꾸며 써야 한답니다.

▶ 정답 및 해설 20쪽

○ 사다리 타기를 하여 도착한 곳의 낱말을 따라 쓰며, 그림의 차례를 정해 이야기를 꾸며 쓰는 방법을 알아보아요.

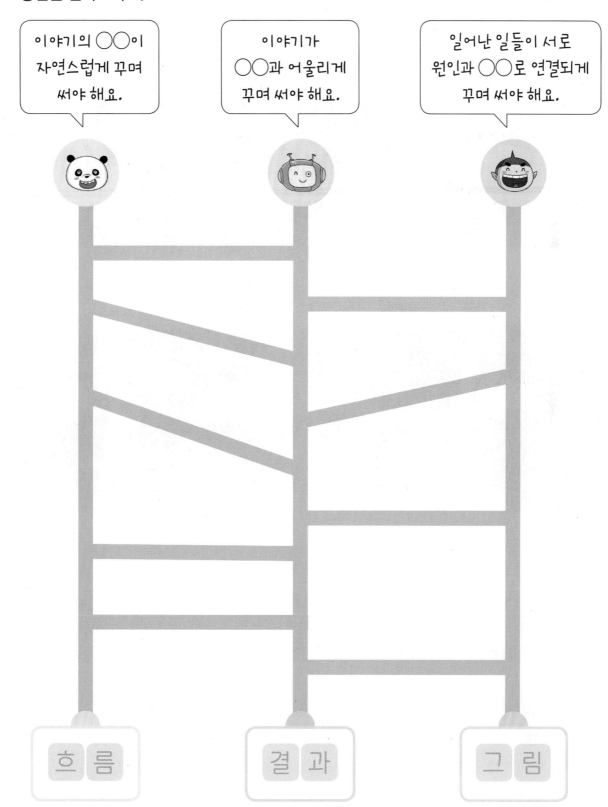

이야기의 ○○이 자연스럽게 꾸며 써야 해요.

이야기가 ○○과 어울리게 꾸며 써야 해요.

일어난 일들이 서로 원인과 ○○로 연결되게 꾸며 써야 해요.

흐름

결과

그림

그림의 차례를 정해 이야기 꾸며 쓰기

● 다음 그림을 보고, 그림의 차례를 정해 이야기를 꾸며 쓰세요.

숲속 캠핑장에서 생긴 일

그림의 차례를 정해 이야기를 꾸며 쓸 때에는 그림의 내용과 차례를 자유롭게 상상해 볼 수 있어요. 그리고 어떤 그림을 시작 장면으로 정하는지에 따라 이야기의 내용이 달라져요. 그림 ❶~그림 ❺를 잘 보고, 인물의 말이나 행동을 상상해 보세요.

한 아이가 숲속 캠핑장에서 다람쥐를 만나 겪은 일을 꾸며 보기 위해 그림의 차례를 '그림 ❶ → 그림 ❷ → 그림 ❸ → 그림 ❹ → 그림 ❺'로 정했어요. 정한 그림의 차례에 따라 이야기를 꾸며 볼까요?

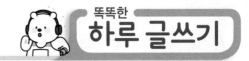
낱말 쓰기

1
단계

다음은 그림 ❶~그림 ❺의 차례대로 그림의 내용을 정리한 것이에요. 빈칸에 알맞은 낱말을 보기 에서 각각 골라 쓰세요.

보기

고양이   다람쥐   도토리

그림 ❶	(1) 한 아이가 ☐☐☐ 를 주우며 놀고 있음.		
그림 ❷	(2) 아이는 ☐☐☐ 를 따라 숲속 깊이 들어감.		
그림 ❸	다람쥐가 말을 함.	그림 ❹	도토리가 부족하다고 함.
그림 ❺	아이가 가방과 주머니에서 도토리를 꺼내 다람쥐에게 줌.		

문장 쓰기

2
단계

1에서 쓴 그림 ❶과 그림 ❷의 내용을 각각 문장으로 정리하여 쓰세요.

❶ 한 아이가 숲속 캠핑장에서 ☐☐☐☐☐☐ 놀
고 있었어요.

❷ 그때 다람쥐 한 마리가 나타나 아이는 ☐☐☐☐
숲속 깊이 들어갔어요.

한 편 쓰기

3
단계

2에서 쓴 문장을 넣어 이야기를 완성해 보세요.

한 아이가 ❶ _____
_____ 그때 ❷ _____
_____

숲속 깊이 들어가자 놀랍게도 다람쥐가 말을 했어요. 다람쥐는 사람들 때문에 겨우내 먹을 도토리가 부족하다며 눈물을 흘렸어요. 아이는 가방과 주머니에서 도토리를 꺼내 다람쥐에게 돌려주며 미안하다고 사과했어요.

1 잘 듣고, 따라 쓰세요.

따라 쓰기

❶ | 숲 | 속 | V | 캠 | 핑 | 장 | | |

❷ | 놀 | 고 | V | 있 | 었 | 어 | 요 | . |

2 잘 듣고, 빈칸에 알맞은 낱말을 받아쓰세요.

낱말
받아쓰기

❶ 숲속 | | | 들어갔어요.

❷ | | | 먹을 도토리가 부족하다며 눈물을 흘렸어요.

3 잘 듣고, 그림에 알맞은 문장을 받아쓰세요.

문장
받아쓰기

| | | | | | | V | | |

| | V | | | | | | |

● 그림의 차례를 그림 ❷ → 그림 ❸ → 그림 ❹ → 그림 ❶ → 그림 ❺ 의 차례대로 다시 정하고, 이야기를 꾸며 썼어요. 빈칸에 알맞은 내용을 보기 에서 골라 이야기를 완성하세요.

보기

아이는 다람쥐가 너무 가여워 여기저기 도토리를 주우러 다녔어요.

아이는 도토리가 많이 떨어져 있던 숲속 캠핑장으로 돌아가 열심히 도토리를 주웠어요.

한 아이가 숲속 캠핑장에 나타난 다람쥐를 따라 숲속 깊이 들어갔어요. 숲속 깊이 들어가자 놀랍게도 다람쥐가 말을 했어요. 다람쥐는 곧 겨울인데 아픈 동생을 돌보느라 도토리를 모아 두지 못했다고 걱정했어요. _____

_____

아이는 그 다람쥐를 다시 찾아가 가방과 주머니에 담아 온 도토리를 건넸어요.

 힌트 먼저 '그림 ❷ → 그림 ❸ → 그림 ❹ → 그림 ❶ → 그림 ❺'의 차례대로 그림의 내용을 살펴보아요. 그런 다음, 이야기의 흐름이 자연스럽도록 그림 ❶의 내용으로 마음에 드는 것을 골라 쓰세요. 두 가지 내용 중 어떤 내용을 골라 써도 답이 될 수 있답니다.

생활 어휘 다음 만화를 보며 속담의 뜻을 알아보고, 상황에 맞게 속담을 써 보세요.

호랑이에게 물려 가도 정신만 차리면 산다

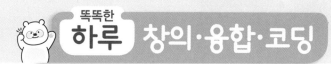
▶ 정답 및 해설 21쪽

속담의 뜻을 알아봐요!

호랑이에게 물려 가도 정신만 차리면 산다

이 속담은 "아무리 위험한 경우를 당하더라도 정신만 똑똑히 차리면 위기를 벗어날 수 있다."라는 뜻이랍니다.

이제 이 속담을 넣어 상황에 맞게 써 볼까요?

"호 랑 이 에 게 물 려 가 도 정 신 만 차 리 면 산 다"라는 말을 떠올리며 사나운 개를 피해 갔다.

● 양궁 경기를 하고 있어요. 양궁 선수들이 말하는 낱말의 뜻에 알맞은 낱말이 적힌 과녁을 찾아 각각 선으로 이어 보세요.

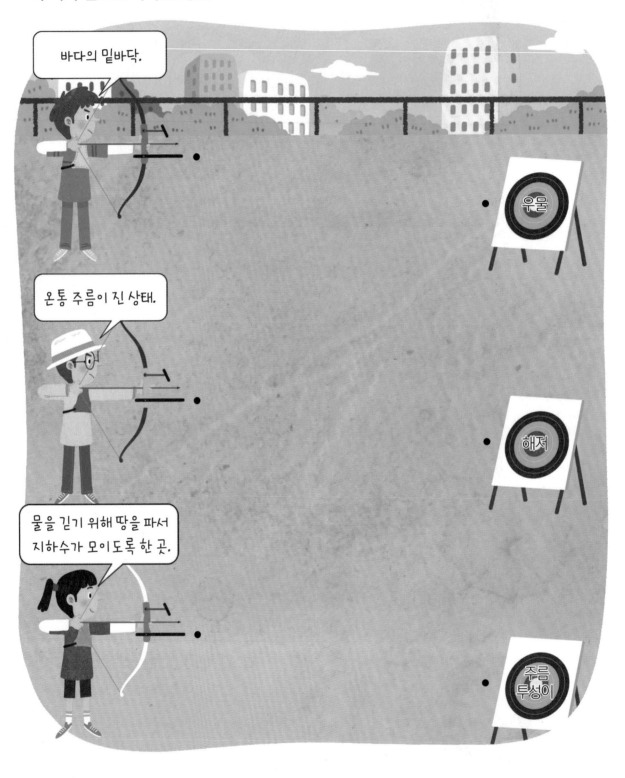

창의 3주에 쓰인 **낱말과 그 뜻**을 익히며 양궁 선수들의 말에 알맞은 과녁을 찾아봅니다.

● 착한 할아버지가 할머니를 데리고 젊어지는 샘물을 찾아가고 있어요. 샘물을 잘 찾아갈 수 있도록 코딩 카드에 알맞은 숫자를 쓰세요.

❶ 오른쪽으로 [2] 칸 간다. →

❷ 아래쪽으로 [   ] 칸 간다. ↓

❸ 오른쪽으로 [1] 칸 간다. →

 코딩 「젊어지는 샘물」 이야기의 내용을 떠올리며 젊어지는 샘물까지 어떻게 가야 할지 **코딩 카드**를 완성해 봅니다.

● 엄마 까마귀가 목이 마른 새끼 까마귀들을 위해 물을 찾고 있어요. 새끼 까마귀들에게 갈 때까지 몇 개의 물병을 찾았는지 모두 더해 알맞은 숫자에 ○표를 하세요.

물이 담긴 유리병 (10 , 11 , 12)개를 찾았어요.

융합
국어+수학

「까마귀의 지혜」 이야기의 내용을 떠올리며 엄마 까마귀가 찾은 **물병의 수를 모두 더하는 덧셈**을 해 봅니다.

▶정답 및 해설 21쪽

● 다음 만화를 읽고, 다람쥐 관찰 카드에 들어갈 낱말을 만화에서 각각 찾아 쓰세요.

다람쥐

· 나무를 잘 탄다.
· ㄱ ㅇ ㅈ 을 잔다.
· ㄷ ㅌ ㄹ , 땅콩, 잣, 밤 등을 먹는다.

융합
국어+과학 **다람쥐의 특징**을 알아보고, 다람쥐 관찰 카드를 완성해 봅니다.

1 그림이나 사진을 보고, 이야기를 상상하여 꾸며 쓰는 방법에 알맞은 낱말을 골라 ○표를 하세요.

> 먼저 (언제 , 어제), 어디에서, 누구에게 일어나는 일일지 상상한 다음, 어떤 일이 일어날지 상상하여 꾸며 쓴다.

2 밑줄 그은 낱말을 바르게 고쳐 쓰세요.

> 바닷속을 탐험하던 기준이는 큰 물고기의 공격을 받아 산소통을 <u>잊어버렸어요</u>.

↓

☐ ☐ ☐ ☐ ☐ ☐

3 이야기의 일부분을 바꾸어 쓸 때 가장 먼저 할 일을 골라 ○표를 하세요.

(1) 어느 부분을 바꾸어 쓸지 정한다.

(   )

(2) 바꾸어 쓸 부분에서 일어난 일을 새로운 일로 바꾸어 쓴다. (   )

(3) 바꾸어 쓴 부분이 이야기의 앞뒤 내용과 자연스럽게 이어지는지 살펴본다.

(   )

[4~5] 다음 글을 읽고, 물음에 답하세요.

> 다람쥐들이 도토리 멀리 던지기 놀이를 했어요.
> 먹이를 찾고 있던 토끼가 도토리에 맞았어요.
> 화가 난 토끼가 다람쥐들에게 잘못을 따졌어요.
> ㉠다람쥐들은 토끼에게 사과하며 토끼풀이 있는 곳을 알려 주었어요.
> 토끼는 다람쥐들과 둘도 없는 친구가 되었어요.

4 토끼가 도토리에 맞았을 때 다람쥐들은 어떤 마음이 들었을까요? (   )

① 고마운 마음   ② 미안한 마음
③ 고소한 마음   ④ 궁금한 마음
⑤ 자랑스러운 마음

5 ㉠을 알맞게 바꾸어 쓴 사람은 누구인지 쓰세요.

> **달래**: 다람쥐들이 사과를 따서 토끼에게 주며 사과하는 내용으로 바꾸어 썼어.
> **기찬**: 토끼가 다람쥐들에게 미안해하며 도토리가 많은 곳을 알려 주는 내용으로 바꾸어 썼어.

(   )

[6~7] 다음 글을 읽고, 물음에 답하세요.

목이 마른 까마귀들이 우물을 찾아갔지만, 우물도 말라 물을 마실 수 없었어요. 그런데 우물 ㉠여페 물이 조금 들어 있는 목이 좁고 긴 유리병이 있었어요. 까마귀들은 부리가 짧아 유리병 속의 물을 마실 수 없었어요. ㉡ 마침내 물이 유리병 위에까지 차올라 까마귀들은 물을 마실 수 있었어요.

6 ㉠을 바르게 고쳐 쓴 것을 골라 ◯표를 하세요.

(1) 엽에 (   )   (2) 옆에 (   )

7 빈칸에 알맞은 낱말을 보기 에서 골라 ㉡ 안에 들어갈 문장을 완성하고 따라 쓰세요.

보기

돌멩이   잎사귀

	까	마	귀	들	은
유	리	병	V	속	에
			를	V	채
워	V	넣	었	어	요

[8~9] 다음 글을 읽고, 물음에 답하세요.

어느 날, 착한 할아버지는 나무를 하러 산속 깊이 들어갔다가 샘을 발견하고 샘물을 ㉠ 마셨어요. 그러자 주름투성이 착한 할아버지의 얼굴이 젊은이의 얼굴로 변했어요.

㉡이튿날, 착한 할아버지는 할머니를 그 샘으로 데려가 할머니도 그 샘물을 마시게 했어요.

8 ㉠ 안에 들어갈 알맞은 흉내 내는 말을 골라 ◯표를 하세요.

(콸콸 , 꿀꺽꿀꺽)

9 ㉡이 원인이 되어 어떤 결과가 생겼을지 알맞은 내용을 보기 에서 골라 쓰세요.

보기

샘물을 마신 할머니도 젊어졌어요.

할머니의 병도 깨끗이 나았어요.

10 그림의 차례를 정해 이야기를 꾸며 쓰는 방법이에요. 알맞은 말을 골라 ◯표를 하세요.

그림의 차례를 정해 이야기를 꾸며 쓸 때에는 (그림 , 글쓴이의 얼굴)과 어울리게 꾸며 써야 한다.

일기를
써 보자!

1-1 일기를 쓸 때 들어갈 내용으로 알맞지 <u>않은</u> 것을 골라 ×표를 하세요.

날짜와 요일	글쓴이	제목

기억에 남는 일	생각이나 느낌

1-2 다음 일기의 빈칸에 들어갈 내용으로 알맞은 것을 골라 따라 쓰세요.

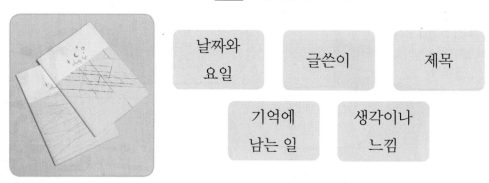

20○○년 5월 10일 금요일	날씨: 흰 구름이 많은 날

☐ : 폭신폭신 핫케이크를 만든 날

　　오후에 집에서 엄마와 함께 핫케이크를 만들었다. 국자로 반죽을 부어 엄마 얼굴 모양도 만들었다. 엄마께서 내가 손재주가 좋다고 칭찬해 주셨다. 그 말씀에 너무 신이 나서 더 열심히 만들었다. 완성된 핫케이크는 폭신폭신하고 달콤해서 정말 맛있었다. 다음에 또 만들어 먹고 싶다.

글 쓴 이 　　제 목

▶ 정답 및 해설 23쪽

2-1

다음 그림을 보고, 어떤 일을 일기로 쓰려고 하는지 보기 에서 골라 쓰세요.

보기

친구와 싸웠던 일

친구와 놀았던 일

실수나 잘못했던 일

☐ 을 일기로 쓰려고 한다.

2-2

다음은 어떤 일을 쓴 일기인지 알맞은 것을 골라 ○표를 하세요.

20○○년 4월 7일 수요일	날씨: 해님이 방긋방긋
제목: 시소	

　낮에 놀이터에서 친구들과 시소를 타고 놀았다. 한쪽에 두 명씩 탔는데 나는 오른쪽 맨 끝에 앉았다. 탕탕 발을 구르며 위로 올라갈 때마다 내 기분도 같이 붕 떴다. 다 타고 나서는 엉덩이가 얼얼하긴 했다. 그래도 '훅' 하고 위로 올라가는 시소의 느낌이 정말 재미있었다.

친구와 싸웠던 일　　　　친구와 놀았던 일

칭찬받았던 일 쓰기

기찬
얼굴이 빨개진 것 좀 봐. 칭찬받아서 부끄러운가 봐.

판판
나도 칭찬받을래. 그리고 그 일로 일기 써야지! 글봇, 나 좀 칭찬해 줘.

글봇
판판! 요새 운동을 열심히 하는 점을 칭찬해.

반가워요, 친구들! 똑똑TV의 똑똑이예요.
이번 주에는 일기를 써 볼 거예요.
오늘은 칭찬받았던 일로 일기를 써 볼까요?

다른 사람에게 칭찬받았던 일을 일기로 써라!

일기에는 날짜와 요일, 날씨, 제목, 기억에 남는 일, 그 일에 대한 생각이나 느낌을 써요.

일기에 쓸 내용을 정하기 위해 친구들 또는 웃어른께 칭찬받았던 일을 떠올려 보아요.

칭찬받았던 일을 일기로 쓸 때에는 무슨 일로 칭찬받았고,

그 일에 대한 생각이나 느낌은 어떠했는지 써야 해요.

○ 일기를 쓰는 방법에 맞게 빈칸에 알맞은 말을 따라 쓰세요.

> • 일기에는 [날] [짜] 와 [요] [일] 을 씁니다.
>
> • 그날의 [날] [씨] 와, 일기의 내용에 어울리는 [제] [목] 을 씁니다.
>
> • 하루 동안의 일 중 [기] [억] [에] [남] [는] [일] 을 씁니다.
>
> • 기억에 남는 일에 대한 [생] [각] 이나 [느] [낌] 을 씁니다.
>
> → 일기에 들어가야 하는 내용을 모두 넣어 칭찬받았던 일을 일기로 써 봅니다.

○ 위에서 따라 쓴 말을 모두 찾아 색칠해 보고, 어떤 모양이 나오는지 알아보아요.

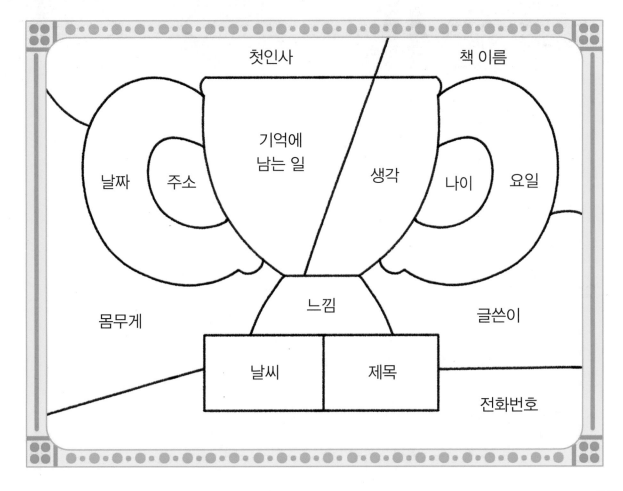

칭찬받았던 일 쓰기

● 다음 그림을 보고, 칭찬받았던 일을 일기로 쓰세요.

① 국어 시간

발표는 많이 떨려.

② 국어 시간

그래도 씩씩하게 잘할 수 있어.

③ 국어 시간

"실감 나게 글을 잘 썼구나.
발표도 또박또박 잘했다."

④

내가 해냈어!

🐹 **어휘 풀이**

▼**발표**|필 발 發, 겉 표 表| 어떤 사실이나 결과, 작품 따위를 세상에 널리 드러내어 알림.
　　예 수업 시간에 내가 좋아하는 과일에 대해 발표했다.

▼**실감**|열매 실 實, 느낄 감 感| 실제로 체험하는 느낌. 예 실감 나는 연극을 보았다.

▼**또박또박** 말이나 글씨 등이 분명하고 또렷한 모양. 예 아이는 일어나서 책을 또박또박 읽었다.

▼**해냈어** 맡은 일이나 닥친 일을 잘 처리했어. 예 내가 드디어 그 일을 해냈어!

낱말 쓰기

1 단계 다음은 정호가 칭찬받았던 일과 그 일에 대한 생각이나 느낌을 정리한 것이에요. 빈칸에 알맞은 낱말을 각각 쓰세요.

(1) 학교에서 수업 시간에 내가 쓴 글을 ㅂ ㅍ 했다.

(2) 많이 떨렸는데, 잘했다고 선생님께 칭찬받아서 ㅃ ㄷ 했다.

문장 쓰기

2 단계 **1**의 내용을 넣어 일기에 쓸 내용을 두 문장으로 정리하여 쓰세요.

❶ 학교에서 수업 시간에 내가 쓴 ☐ ☐ ☐ ☐ ☐ ☐ .

❷ 많이 떨렸는데, 잘했다고 선생님께 ☐ ☐ ☐ ☐ ☐
☐ ☐ .

한 편 쓰기

3 단계 **2**에서 쓴 내용을 넣어 일기에 쓸 내용을 완성해 보세요.

학교에서 ❶ _____

❷ _____

_____ 다음번에는 떨지 않고 오늘보다 더 씩씩하게
발표할 수 있을 것 같다.

1 잘 듣고, 따라 쓰세요.

따라 쓰기

❶

	또	박	또	박	V	잘	했	다	.

❷

내	가	V	해	냈	어	!		

2 잘 듣고, 빈칸에 알맞은 낱말을 받아쓰세요.

낱말
받아쓰기

❶ 친구들은 나를

라고 칭찬한다.

❷ 어깨가

해졌다.

3 잘 듣고, 그림에 알맞은 문장을 받아쓰세요.

문장
받아쓰기

		V			V		V

		V		V		

● 다음 그림을 보고, 빈칸에 알맞은 말을 보기 에서 각각 골라 일기를 완성하세요.

보기

좋아서 힘이 마구 솟았다.

아빠 어깨 안마하기

앉아 계신 아빠의 어깨를 꾹꾹 주물러 드렸다.

힌트 일기에 들어가는 내용을 생각해 보며 알맞은 자리에 보기 의 내용을 넣어 칭찬받았던 일을 쓴 일기를 완성해 보아요.

20○○년 4월 12일 금요일	날씨: 바람이 술래잡기하는 날

제목: ❶

　　저녁에 퇴근해서 집에 오신 아빠께 안마를 해 드리기로 했다. 나는 ❷ _____

_____

　　"아이, 시원하다. 아빠 안마도 해 주고 우리 딸 정말 멋지다."

하고 아빠께서 칭찬해 주셨다. 그 말씀을 들으니 ❸ _____

_____

　　아빠의 어깨가 더 이상 안 아팠으면 좋겠다. 아빠 힘내세요!

친구와 싸웠던 일 쓰기

밤톨
나도 오늘 친구의 장난 때문에 싸웠어. 지금도 정말 화가 나.

기찬
밤톨아, 그 마음을 그대로 일기에 써 봐.

달래
그 친구에게 직접 말하듯이 써도 된대.

친구의 장난 때문에 여자아이가 많이 화가 났나 봐요. 여러분은 친구와 싸웠던 일이 있나요? 그럴 때에는 일기를 쓰면서 기분을 풀어 보아요.

친구와 싸웠던 일을 일기로 써라!

친구와 싸웠던 일을 일기로 쓸 때에는 무슨 일로 싸웠는지 쓰고,

그 일에 대한 자신의 생각이나 느낌을 자유롭게 써요.

그때의 상황을 어떻게 느꼈는지, 싸웠던 친구에게 어떤 감정이 들었는지

시원하게 털어놓아 보세요. 친구에게 직접 말하는 것처럼 쓸 수도 있어요.

● 그림에 맞는 퍼즐 모양을 찾아 선으로 잇고, 친구와 싸웠던 일을 일기로 쓸 때 어떻게 쓰면 좋을지 알아보아요.

자유롭게

자신의
생각이나 느낌을
○○○○ 써요.

친구에게 ○○
말하는 것처럼
쓸 수도 있어요.

직접

4
주

친구와 싸웠던 일을 일기로 쓰는 방법을 생각하며 문장을 따라 쓰세요.

"	오	늘	∨	네	게	∨	너	무	∨
화	가	∨	나	고	,	네	가	∨	
정	말	∨	미	워	.	"			

친구와 싸웠던 일 쓰기

● 다음 이야기를 읽고, 수영이가 친구와 싸웠던 일을 쓴 일기에 들어갈 생각이나 느낌을 써 보세요.

잃어버린 연필

수업 시간, 수영이는 정수에게 아끼는 연두색 연필을 빌려주었습니다. 방과 후 수영이는 정수에게 연필을 돌려 달라고 얘기했습니다. 그런데 정수가 연필을 잃어버렸다고 하는 것이었습니다.

"뭐? 어떻게 그럴 수가 있니?"

수영이는 아끼던 연필이 없어졌다는 생각에 화가 났습니다.

"뭘 연필 한 자루 없어진 것을 가지고 그렇게 화를 내니? 치사하게."

정수는 그렇게 말하고는 수영이에게 혀를 쭉 내밀어 보였습니다. 결국 수영이는 정수와 크게 싸웠습니다. 수영이는 연필을 잃어버린 정수가 미웠습니다. 수영이는 정수에게 "오늘 일은 꼭 사과해!"라고 말하고 싶었습니다.

🐭 어휘 풀이

▼**방과**|놓을 방 放, 시험할 과 課| 그날 하루에 하도록 정해진 학습 과정이 끝남. 또는 학습 과정을 끝냄.
　예 **방과** 후 학교를 신청했다.

▼**자루** 조금 긴 듯한 필기도구나 연장, 무기 따위를 세는 단위.
　예 나무를 심기 위해 삽 한 **자루**를 가지고 땅을 팠다.

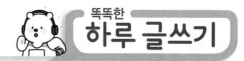
낱말 쓰기

1 다음 그림을 보고, 친구와 싸웠던 일에 대한 수영이의 생각이나 느낌으로 알맞은 말을 빈칸에 각각 쓰세요.

(1) 내가 아끼는 연필을 잃어버린 정수가 [ㅁ][ㄷ].

(2) "김정수, 오늘 일은 꼭 [ㅅ][ㄱ] 해."

문장 쓰기

2 **1**의 내용을 넣어 일기에 쓸 생각이나 느낌을 두 문장으로 정리하여 쓰세요.

❶   내가 아끼는 연필을 [   ]   정수가 [   ].

❷   "김정수, 오늘 일은 [   ]."

한 편 쓰기

3 **2**에서 쓴 내용을 넣어 일기에 쓸 생각이나 느낌을 완성해 보세요.

❶				∨				∨	
∨				∨					∨
❷ "	김	정	수 ,	오	늘	∨ 일			
은	∨		∨			. "			

1 잘 듣고, 따라 쓰세요.

따라 쓰기

❶ 연 필 을 V 빌 려 주 었 다 .

❷ 연 필 을 V 잃 어 버 렸 다 .

2 잘 듣고, 빈칸에 알맞은 낱말을 받아쓰세요.

낱말
받아쓰기

❶ 눈물이 날 정도로 ☐☐☐☐ .

❷ ☐☐☐ 씩씩거렸다.

3 잘 듣고, 그림에 알맞은 문장을 받아쓰세요.

문장
받아쓰기

		"		V			V		V
				V				"	

◉ 빈칸에 알맞은 말을 보기 에서 두 가지 골라 써넣어 일기를 완성하세요.

보기

> 즐거웠다. 영진이는 정말 좋은 친구이다.

> 속상했다. 내 탓을 한 영진이가 싫었다.

> "영진아, 우리 계속 친하게 지내자."

> "영진아, 진 게 내 탓만은 아니야."

 힌트
친구와 싸웠을 때의
기분과 그때 친구에게 무슨
말을 하고 싶을지 생각해 보며
보기 의 내용을 넣어 일기를
완성해 보아요.

4
주

20○○년 9월 10일 목요일	날씨: 하늘에 회색 카펫이 깔림

제목: 내 탓만은 아니야

학교에서 체육 시간에 영진이와 싸웠다. 체육 시간에 편을 갈라 축구를 했는데,

"야! 제대로 좀 차! 너 때문에 우리 편이 지잖아!"

하고 영진이가 내게 화를 냈기 때문이다. 결국 영진이와 싸우다 선생님께 혼났다.

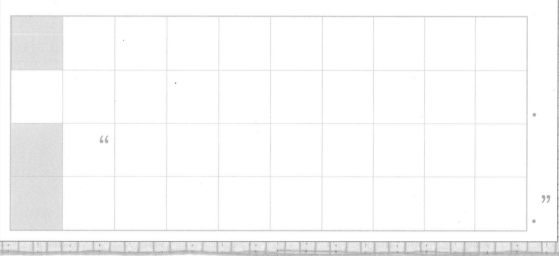

3_일 친구와 놀았던 일 쓰기

친구와 재미있게 놀았던 일을 일기로 써라!

친구와 놀았던 일을 일기로 쓸 때에는 친구와

무엇을 하고 놀았는지 잘 드러나게 쓰고,

'재미있었다.', '웃겼다.', '기뻤다.', '즐거웠다.'처럼

여러 가지 표현을 사용하여 자신의 생각이나 느낌을 나타내요.

그리고 왜 그런 생각이나 느낌이 들었는지 자세하게 써요.

▶ 정답 및 해설 25쪽

● 친구와 놀았던 일을 일기로 쓰는 방법에 맞게 빈칸에 알맞은 말을 쓰고, 퍼즐판에서 찾아 ○
표를 하세요.

❶ 무 엇 을 하고 놀았는지
잘 드러나게 써요.

여러 가지 ❷ ☐ ☐ 을 사용하여
자신의 생각이나 느낌을 나타내요.

기	무	오	겪
찬	엇	소	주
중	호	찰	표
자	세	유	현

왜 그런 생각이나 느낌이 들었는지
❸ ☐ ☐ 하게 써요.

3일 친구와 놀았던 일 쓰기

◉ 다음 대화를 읽고, 친구와 놀았던 일을 일기로 쓰세요.

민준: 오늘, 이사 갔던 친구와 오랜만에 만나서 놀았어.

성아: 정말 좋았겠다. 뭘 하고 놀았니?

민준: 실내 놀이방에 갔는데, 정말 재미있는 일이 있었어.

성아: 무슨 일이었는데?

민준: 숨바꼭질을 하는데 친구가 나를 앞에 두고 한참을 찾지 못하는 거야.

성아: 정말 웃음이 나왔겠다!

민준: 응. 내가 뛰어나갔더니 친구가 깜짝 놀라서 엄청 웃겼어.

어휘 풀이

▼ **이사**|옮길 이 移, 옮길 사 徙| 사는 곳을 다른 데로 옮김. 예 옆 동네로 이사를 가게 되었다.

▼ **실내**|집 실 室, 안 내 內| 방이나 건물 따위의 안. 예 실내 수영장에 갔다.

▼ **한참** 시간이 상당히 지나는 동안. 예 나는 친구를 한참 동안 기다렸다.

낱말 쓰기

1단계

다음은 민준이가 친구와 놀았던 일과 그 일에 대한 생각이나 느낌을 정리한 것이에요.
빈칸에 알맞은 낱말을 보기 에서 각각 골라 쓰세요.

보기

| 못했다 | 잘했다 | 화났다 | 웃겼다 |

(1) 숨바꼭질을 하는데 친구가 나를
앞에 두고 찾지 ☐☐☐ .

(2) 내가 뛰어나가니 친구가 깜짝 놀라
서 ☐☐☐ .

문장 쓰기

2단계

1의 내용을 넣어 일기에 쓸 내용을 두 문장으로 정리하여 쓰세요.

❶ 숨바꼭질을 하는데 친구가 나를 앞에 두고 ☐☐☐☐☐ .

❷ 내가 뛰어나가니 친구가 깜짝 ☐☐☐☐ .

한 편 쓰기

3단계

2에서 쓴 내용을 넣어 일기에 쓸 내용을 완성해 보세요.

　　오늘, 이사 갔던 친구와 오랜만에 만나 실내 놀이방에 갔다. 그런데 실내 놀이
방에서 재미있는 일이 있었다. ❶ _____
_____
❷ _____
다음번에는 친구가 자기 집에 놀러 오라고 했는데 빨리 또 만나서 놀고 싶다.

1 잘 듣고, 따라 쓰세요.

따라 쓰기

❶
| 오 | 랜 | 만 | 에 | V | 만 | 났 | 다 | . |

❷
| 웃 | 음 | 이 | V | 나 | 왔 | 다 | . | |

2 잘 듣고, 빈칸에 알맞은 낱말을 받아쓰세요.

낱말
받아쓰기

❶ 친구들과 [   ] 를 탔다.

❷ 친구들과 [   ] 를 했다.

3 잘 듣고, 그림에 알맞은 문장을 받아쓰세요.

문장
받아쓰기

| | | | | V | | V | |

| | | | V | | V | | | |

● 다음 진희가 쓴 쪽지를 읽고, 진희가 쓴 일기를 완성하세요.

해진이에게

　해진아, 나에게 그림을 잘 그리는 방법을 알려 주어서 고마워. 네가 알려 준 대로 그림을 그리니 전에 그린 것보다 그림이 훨씬 예뻐서 기분이 좋았어. 여기 내가 그린 그림을 한 장 선물할게.

　　　　　　　　　진희가

20○○년 5월 12일 토요일	날씨: 따뜻한 햇살이 가득한 날

제목: 해진아, 고마워

　점심에 해진이가 우리 집에 놀러 왔다. 우리는 스케치북에 그림을 그리며 놀았다.

해진이는 나에게 ☐☐☐☐☐☐☐☐☐☐ 알

려 주었다. 해진이가 알려 준 대로 그림을 그리니 전에 그린 것보다 ☐☐☐

☐☐☐☐☐☐☐

☐☐다.

　그림을 잘 그리는 방법을 알려 준 해진이에게 고마웠다. 그래서 해진이에게 그림을 한 장 그려서 고마운 마음을 쓴 쪽지와 함께 선물했다.

힌트　쪽지에서 밑줄 그은 부분을 잘 읽어 보고,
친구와 놀았던 일과 그 일에 대한 생각이나 느낌이
잘 드러나도록 일기를 완성해 보아요.

4일 실수나 잘못했던 일 쓰기

달래
어떡해! 접시를 깨 뜨렸잖아. 큰일 났 다.

기찬
달래야, 꼭 접시를 네가 깬 것처럼 말 하네.

달래
(뜨끔!) 진실은 일 기장에만 털어놓 을 거야.

여러분들은 실수나 잘못을 했던 일이 있나요? 오늘은 실수나 잘못했던 일을 일기로 쓰는 방법을 알아보도록 해요.

I ☺ 입력

실수나 잘못했던 일을 솔직하게 일기로 써라!

실수나 잘못을 해서 부끄러웠거나 걱정되었던 일도 일기로 쓸 수 있어요.

일기는 스스로를 위한 글이에요. 실수나 잘못했던 일을 쓸 때에는

다른 사람의 반응을 생각하지 말고, 어떤 일이 있었고

그 일에 대해 어떤 생각이나 느낌이 들었는지 솔직하게 써야 해요.

● 그림에 맞는 퍼즐 모양을 찾아 ○표를 하고, 실수나 잘못했던 일을 일기로 쓰는 방법을 알아
보아요.

4
주

 실수나 잘못했던 일을 일기로 쓰는 방법을 생각하며 문장을 따라 쓰세요.

엄	마	∨	목	걸	이	를	∨	망
가	뜨	려	서	∨	엄	마	께	∨	혼
날	까	∨	봐	∨	무	서	웠	다	.

4일 실수나 잘못했던 일 쓰기

◉ 다음 편지를 읽고, 진서가 실수나 잘못했던 일을 쓴 일기에 들어갈 생각이나 느낌을 써 보세요.

연수에게

연수야, 안녕? 나 진서야. 오늘 네게 고백할 게 있어서 이렇게 편지를 써. 지난주에 우리 반 교실 뒤편에 전시해 놓았던 네 찰흙 모형이 망가져서 네가 많이 울었잖아. 선생님께서 누가 그랬는지 솔직하게 말하라고도 하셨었지.

사실 내가 그날 뒷문으로 달려 나가다가 네 찰흙 모형을 쳐서 떨어뜨리고 말았어. 바로말하고 사과를 했어야 했는데, 네가 나를 싫어할까 봐 걱정되고, 선생님께 혼날까 봐 겁나서 이제까지 말하지 못했어. 연수야, 네 찰흙 모형을 망가뜨려서 정말 미안해. 앞으로는 절대 이런 일이 없도록 할게. 내일 교실에서 보자. 안녕.

20○○년 10월 8일

진서가

🐭 어휘 풀이

▼**고백**|아뢸 고 告, 흰 백 白| 마음속에 생각하고 있는 것이나 감추어 둔 것을 사실대로 숨김없이 말함.
　　(예) 내 마음을 친구에게 솔직하게 고백했다.
▼**전시**|펼 전 展, 보일 시 示| 여러 가지 물품을 한곳에 벌여 놓고 보임.
　　(예) 미술관에는 유명한 화가의 그림들이 전시되어 있다.

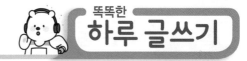
낱말 쓰기

1 다음 그림을 보고, 실수나 잘못했던 일에 대한 진서의 생각이나 느낌으로 알맞은 말을 빈칸에 각각 쓰세요.

(1) 연수가 찰흙 모형을 망가뜨린 나를

싫어할까 봐 ⬜ㄱ⬜ ⬜ㅈ⬜ 된다.

(2) 선생님께 혼날까 봐 ⬜ㄱ⬜ 난다.

문장 쓰기

2 **1**의 내용을 넣어 일기에 쓸 생각이나 느낌을 한 문장으로 정리하여 쓰세요.

연수가 찰흙 모형을 망가뜨린 나를 ⬜⬜⬜⬜⬜⬜⬜⬜

되고, 선생님께 ⬜⬜⬜⬜⬜⬜ .

한 편 쓰기

3 **2**에서 쓴 내용을 넣어 일기에 쓸 생각이나 느낌을 완성해 보세요.

	연	수	가	∨			∨	
	∨					∨		∨
			∨		∨			
	,					∨		∨
	∨							

받아쓰기 듣기

▶ 정답 및 해설 26쪽

1

따라 쓰기

잘 듣고, 따라 쓰세요.

❶ | 많 | 이 | V | 울 | 었 | 잖 | 아 | . | |

❷ | 떨 | 어 | 뜨 | 리 | 고 | V | 말 | 았 | 어 | .

2

낱말
받아쓰기

잘 듣고, 빈칸에 알맞은 낱말을 받아쓰세요.

❶ 동생이 너무 ⬚⬚⬚⬚ .

❷ 동생에게 꿀밤을 ⬚⬚⬚ .

3

문장
받아쓰기

잘 듣고, 그림에 알맞은 문장을 받아쓰세요.

| | | | V | | V | | V |
| | | V | | | | | |

◉ 다음 만화를 읽고, 기준이가 쓴 일기를 완성하세요.

20◯◯년 5월 3일 수요일	날씨: 해님이 나를 쨍쨍 비춘 날

제목: 짝짝이 신발

　아침에 늦게 일어나서 허겁지겁 집을 나섰다. 그런데 학교에 가다가 보니 세상에!

내가 ❶ _____ 있었다.

지각하지 않으려고 그대로 학교에 갔다. ❷ _____

_____ 없었다. 학교에 가는 동안 신발주머니로 가려 봤지만 소용이 없었다.

지금 생각해도 부끄러워서 얼굴이 화끈화끈하다. ❸ _____

_____

힌트 밑줄 그은 부분의 내용을
넣어 실수나 잘못했던 일을
쓴 일기를 완성해 보아요.

1단계 • **161**

5일 놀러 갔던 일 쓰기

달래
오늘 놀이공원 너무 재미있었어!

기찬
나는 회전목마가 좋았어. 화려한 말들이 정말 예뻤어.

달래
나는 청룡 열차가 제일 즐거웠어. 빠르게 달릴 때 너무 신나더라.

가족들이나 친구들과 놀러 갔던 일이 있나요?
오늘은 놀러 갔던 일로 일기를 써 보아요.
어떤 일이 가장 기억에 남나요?

I ☺ 입력

놀러 갔던 일을 일기로 써라!

놀러 갔던 일을 일기로 쓸 때에는 그곳에서 있었던 일을 모두 쓰기보다는

가장 기억에 남는 한 가지 일을 골라서 써요. 꾸며 주는 말이나 흉내 내는 말 또는

직접 하거나 들은 말을 사용해 생생하게 쓰고 생각이나 느낌을 써요.

일기를 쓰기 전이나 다 쓰고 난 후에는 일기의 내용에 어울리는 제목을 붙여요.

● 사다리 타기를 하여 도착한 곳의 말을 따라 쓰며, 놀러 갔던 일을 일기로 쓰는 방법을 알아
보아요.

가장 기억에 남는
○ ○○ 일을 골라서
써요.

꾸며 주는 말이나 흉내 내는 말
또는 직접 하거나 들은 말을
사용해 ○○○○ 써요.

일기의 내용에
어울리는 ○○을
붙여요.

한 가 지
㉠ 공원에서 제일
좋았던 일은 연못을
구경한 일이다.

제 목
㉠ 연꽃이 피어난
연못

생 생 하 게
㉠ "우아, 정말 예쁘다!"
커다란 연꽃들이
활짝 피어 있었다.

● 다음 만화를 읽고, 아쿠아리움에서 있었던 일 중 한 가지를 골라 유미가 아쿠아리움에 놀러 갔던 일을 일기로 쓰세요.

어휘 풀이

▼ **최고**|가장 최 最, 높을 고 高| 으뜸인 것. 또는 으뜸이 될 만한 것. 예 달리기는 네가 최고야.

▼ **푹신푹신**   여럿이 다 또는 매우 푸근하게 부드럽고 탄력이 있는 느낌.
  예 내 베개는 정말 푹신푹신하다.

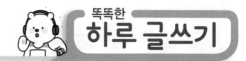
낱말 쓰기

다음은 놀러 갔던 일을 쓴 일기의 제목이에요. 빈칸에 알맞은 낱말을 보기 에서 골라 쓰세요.

보기

고래

상어

물개

제목: ☐☐와의 만남

문장 쓰기

다음 그림을 보고, 유미가 했던 말을 빈칸에 써서 기억에 남는 일을 완성하세요.

저 상어들 봐!
정말 최고야!

유미

아쿠아리움에 가족들과 놀러 갔다. 나는 물고기들 사이에서 상어를 보자마자 "☐☐ ☐☐☐!"라고 외칠 수밖에 없었다. 푸른 물속에서 은빛 상어들이 꼬리를 휘휘 저으며 헤엄을 치고 있었기 때문이다.

한 편 쓰기

일기에 쓸 생각이나 느낌으로 알맞은 것을 보기 에서 한 가지 골라 쓰세요.

보기

커다란 상어의 모습이 정말 멋있었다.

반짝반짝 빛나는 상어가 신비로웠다.

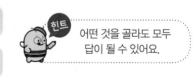

힌트
어떤 것을 골라도 모두 답이 될 수 있어요.

1 잘 듣고, 따라 쓰세요.

따라 쓰기

❶

| | | 저 | V | 상 | 어 | 들 | V | 봐 | ! | |

❷

| | | 정 | 말 | V | 푹 | 신 | 푹 | 신 | 해 | 요 | . |

2 잘 듣고, 빈칸에 알맞은 낱말을 받아쓰세요.

낱말
받아쓰기

❶ 바닷가 | | | |

❷ 파도가 | | | | | 치는 소리가 들렸다.

3 잘 듣고, 그림에 알맞은 문장을 받아쓰세요.

문장
받아쓰기

| | | | | | | | V | | | V |

| | | | V | | | | | |

◉ 다음 장소 중 한 곳을 골라 그곳으로 놀러 갔던 일을 떠올려 일기를 써 보세요.

수영장

공원

유적지

놀이공원

친구나 친척 집

날짜:	날씨:
제목:	

 힌트 　놀러 가서 있었던 일들 중 가장 기억에 남는 일이 무엇인지,
그때 어떤 생각이나 느낌이 들었는지 떠올리며 일기를 써 보아요.

4주 특강

생활 어휘 다음 만화를 보며 속담의 뜻을 알아보고, 상황에 맞게 속담을 써 보세요.

가는 날이 장날

▶정답 및 해설 28쪽

속담의 뜻을 알아봐요!

가는 날이 장날

이 속담은 "어떤 일을 하려고 하는데 뜻하지 않은 일을 우연히 당함."이라는 뜻이랍니다.

이제 이 속담을 넣어 상황에 맞게 써 볼까요?

"가는 날이 장날"이라더니, 오랜만에 간 가게가 하필 오늘이 쉬는 날이다.

🔘 민준이가 친구네 집에 놀러 가려고 해요. 뜻에 알맞은 낱말을 찾아 따라 쓰며 친구의 집까지 가는 길을 선으로 이어 보세요.

 창의 4주에 나왔던 **낱말과 그 뜻**을 익히며 친구의 집으로 가는 길을 찾아봅니다.

▶ 정답 및 해설 28쪽

● 다음은 칭찬받았던 일을 쓴 일기예요. 일기의 제목이 무엇인지 기호에 맞는 글자를 찾아 써 보세요.

20○○년 1월 12일 목요일	날씨: 해님이 고개를 살짝 내민 날
제목:	

아침에 엄마께서 나가시면서 내게 청소를 부탁하셨다. 나는 엄마께서 나가시자마자 청소를 시작했다. 책상 위에 쌓여 있는 책들을 책꽂이에 착착 꽂았다. 청소기도 윙윙 돌렸다. 그렇게 청소 끝! 집 안이 뽀송뽀송해진 것 같아 기분이 좋았다.

저녁에 엄마께서 돌아오셔서 보시고는

"책도 정리하고 청소기도 밀었다고? 아이, 기특해라! 다 컸네!"

하면서 칭찬해 주셨다. 엄마께서 너무 많이 칭찬해 주셔서 살짝 쑥스러웠다.

기호	◉	◆	◑	♠	▲	♥	♣
나타내는 글자	청	대	요	전	소	리	작

제목: ☐ ☐ ☐ ☐ ☐

창의 일기를 잘 읽고, 일기의 내용에 **어울리는 제목**을 붙여 봅니다.

◉ 유미는 아쿠아리움에서 많은 물고기들을 보았어요. 유미가 본 물고기들을 민물고기와 바닷물고기로 구분하여 각각 쓰세요.

민물고기

민물고기는 호수, 연못, 강과 같은 소금기가 없는 물인 민물에 사는 물고기를 말해요.

바닷물고기

바닷물고기는 바다에 사는 물고기를 말해요. 바다의 물은 소금기가 있는 물이에요.

나는 송사리야. 얕은 연못이나 호수 같은 곳에 살아.

나는 가오리야. 바다의 모랫바닥에서 찾을 수 있지.

나는 해마야. 얕은 바다에서 살아. 눈에 띄지 않게 몸을 숨기고 있지.

나는 메기야. 강의 바닥이나 돌 틈에서 살아.

▶ 민물고기: 송사리, ☐ ☐

▶ 바닷물고기: 가오리, ☐ ☐

융합
국어+과학

아쿠아리움에서 볼 수 있는 물고기를 **민물고기**와 **바닷물고기**로 구분해 봅니다.

▶정답 및 해설 28쪽

● 선영이가 주말을 맞아 가족들과 놀러 가요. 코딩 명령을 따라가서 선영이네 가족이 어디에 놀러 갔는지 쓰세요.

코딩 명령

▶ 출발하기 버튼을 클릭했을 때
③ 만큼 반복하기
⬆ 방향으로 1칸 이동하기
➡ 방향으로 1칸 이동하기

코딩 명령 풀이
⬆ 방향으로 한 칸 이동한 다음,
➡ 방향으로 한 칸 이동해요.
이것을 세 번 반복해요.

 선영이네 가족은 [   ] 에 놀러 갔어요.

 코딩　**코딩 명령**에 따라 이동하여 선영이가 가족들과 **어디에 놀러 갔는지** 알아봅니다.

1 다음 중 일기를 쓸 때 들어갈 내용에 대해 알 맞게 말한 친구의 이름을 쓰세요.

> 경수: 일기에는 마지막에 반드시 글쓴이 가 누구인지 써야 해.
> 지민: 일기에는 날짜와 요일, 날씨, 제목, 기억에 남는 일, 생각이나 느낌이 들어 가야 해.

(   )

[2~3] 다음 일기를 읽고, 물음에 답하세요.

20○○년 5월 2일 금요일	날씨: 맑음

제목: 발표와 칭찬

학교에서 수업 시간에 내가 쓴 글을 발표했다. 많이 떨렸는데, 잘했다고 선생님께 칭찬받아서 ☐☐☐☐. 다음번에는 떨지 않고 오늘보다 더 씩씩하게 발표할 수 있을 것 같다.

2 이 일기는 어떤 일을 쓴 일기인지 알맞은 것에 ○표를 하세요.

(1) 놀러 갔던 일 (   )
(2) 칭찬받았던 일 (   )

글쓰기

3 이 일기의 빈칸에 들어갈 알맞은 생각이나 느낌을 골라 따라 쓰세요.

뿌	듯	했	다
섭	섭	했	다

4 다음 친구와 싸웠던 일을 쓴 일기에 이어질 내용으로 알맞은 것에 ○표를 하세요.

20○○년 9월 10일 목요일	날씨: 흐림

제목: 내 탓만은 아니야

학교에서 체육 시간에 영진이와 싸웠다. 체육 시간에 편을 갈라 축구를 했는데,
"야! 제대로 좀 차! 너 때문에 우리 편이 지잖아!"
하고 영진이가 내게 화를 냈기 때문이다. 결국 영진이와 싸우다 선생님께 혼났다.
속상했다. 내 탓을 한 영진이가 싫었다.

(1) "영진아, 진 게 내 탓만은 아니야."

(   )

(2) "영진아, 우리 계속 친하게 지내자."

(   )

5 다음은 받아쓰기를 한 문장이에요. 알맞게 쓴 낱말에 ○표를 하세요.

> 눈물이 날 정도로
> (억울했다 , 어굴했다).

▶ 정답 및 해설 29쪽

글쓰기

6 다음 친구와 놀았던 일을 쓴 일기에서 기억에 남는 일을 찾아 빈칸에 쓰세요.

20○○년 5월 24일 토요일	날씨: 맑음
제목: 친구와 숨바꼭질	

　　오늘, 이사 갔던 친구와 오랜만에 만나 실내 놀이방에 갔다. 그런데 실내 놀이방에서 재미있는 일이 있었다. 숨바꼭질을 하는데 친구가 나를 앞에 두고 찾지 못했다. 내가 뛰어나가니 친구가 깜짝 놀라서 웃겼다. 다음번에는 친구가 자기 집에 놀러 오라고 했는데 빨리 또 만나서 놀고 싶다.

• 실내 놀이방에서 친구와 　ㅅ　ㅂ　ㄲ
　ㅈ　을 했던 일

7 다음 그림과 일기에 쓴 생각이나 느낌으로 보아 어떤 일을 일기로 쓴 것인지 알맞은 것에 ○표를 하세요.

　　연수가 찰흙 모형을 망가뜨린 나를 싫어할까 봐 걱정되고, 선생님께 혼날까 봐 겁난다.

(1) 친구와 놀았던 일　　　　(　　　　)

(2) 실수나 잘못했던 일　　　(　　　　)

[8~10] 다음 일기를 읽고, 물음에 답하세요.

20○○년 4월 17일 토요일	날씨: 맑음
제목:	

　　아쿠아리움에 가족들과 놀러 갔다. 나는 물고기들 사이에서 상어를 보자마자 "정말 최고야!"라고 외칠 수밖에 없었다. 푸른 물속에서 　㉠　상어들이 꼬리를 　㉡　저으며 헤엄을 치고 있었기 때문이다.

글쓰기

8 이 일기의 제목으로 알맞은 낱말을 보기 에서 골라 빈칸에 쓰세요.

> 보기
>
> 만남　　　이별　　　싸움

• 제목: 상어와의 　　　　

9 　㉠　과 　㉡　 안에 알맞은 낱말을 각각 찾아 선으로 이으세요.

(1) 　㉠　　•　　　　•　① 휘휘

(2) 　㉡　　•　　　　•　② 은빛

10 이 일기에 들어갈 생각이나 느낌으로 알맞은 것에 ○표를 하세요.

(1) 지루해서 빨리 돌아가고 싶었다.
　　　　　　　　　　　　　　(　　　　)

(2) 커다란 상어의 모습이 정말 멋있었다.
　　　　　　　　　　　　　　(　　　　)

똑똑한 하루 글쓰기 ☑한권 끝!

글쓰기 공부 하느라 수고했어요.
교재를 꾸준히 잘 풀었는지 돌아보고 ○표를 하세요.

약속한 사람 _____

첫째, 하루하루 빠짐없이 꾸준히 공부했나요?   예   아니요

둘째, 하루 글쓰기 문제를 끝까지 다 풀었나요?   예   아니요

셋째, 또박또박 바르게 글씨를 썼나요?   예   아니요

아쉽고 부족한 부분을 스스로 돌아보고,
다음 단계를 공부할 때에는 더 열심히 해 봐요!

그럼, 다음 책으로 고고!

앞선 생각으로
더 큰 미래를 제시하는 기업

서책형 교과서에서 디지털 교과서,
참고서를 넘어 빅데이터와 AI학습에 이르기까지
끝없는 변화와 혁신으로
대한민국 교육을 선도해 나갑니다.

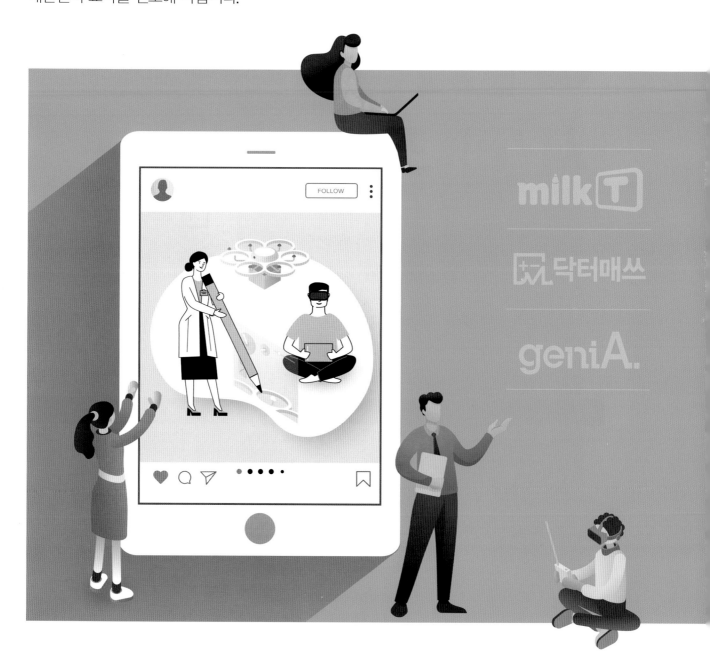

milk T

닥터매쓰

geniA.

천재교육 천재교과서

✂ 쉽다!

10분이면 하루치 공부를 마칠 수 있는 커리큘럼으로, 아이들이 초등 학습에 쉽고 재미있게 접근할 수 있도록 구성하였습니다.

🧩 재미있다!

교과서는 물론 생활 속에서 쉽게 접할 수 있는 다양한 소재와 재미있는 게임 형식의 문제로 흥미로운 학습이 가능합니다.

📖 똑똑하다!

초등학생에게 꼭 필요한 학습 지식 습득은 물론 창의력 확장까지 가능한 교재로 올바른 공부습관을 가지는 데 도움을 줍니다.

과목	교재 구성	과목	교재 구성
하루 독해	예비초~6학년 각 A·B (14권)	하루 VOCA	3~6학년 각 A·B (8권)
하루 어휘	예비초~6학년 각 A·B (14권)	하루 Grammar	3~6학년 각 A·B (8권)
하루 글쓰기	예비초~6학년 각 A·B (14권)	하루 Reading	3~6학년 각 A·B (8권)
하루 한자	예비초: 예비초 A·B (2권) 1~6학년: 1A~4C (12권)	하루 Phonics	Starter A·B / 1A~3B (8권)
하루 수학	1~6학년 1·2학기 (12권)	하루 봄·여름·가을·겨울	1~2학년 각 2권 (8권)
하루 계산	예비초~6학년 각 A·B (14권)	하루 사회	3~6학년 1·2학기 (8권)
하루 도형	예비초~6학년 각 A·B (14권)	하루 과학	3~6학년 1·2학기 (8권)
하루 사고력	1~6학년 각 A·B (12권)	하루 안전	1~2학년 (2권)

※ 각 교재별 출간 시기는 조금씩 다르며, 일부 교재는 순차적으로 출시될 예정입니다.

1단계
B
예비초~1학년

정답 및
해설

천재교육

정답 및 해설
포인트 ❸가지

▶ 혼자서도 이해할 수 있는 친절한 문제 풀이

▶ 문제 해결에 도움을 주는 '더 알아보기'와
   틀린 부분을 짚어 주는 '왜 틀렸을까?'

▶ 예시 답안과 단계별 채점 기준 제시로
   실전 서술형 문항 완벽 대비

똑 똑 한

하루
글쓰기

1단계
B
예비초~1학년

정답 및 해설

10~11쪽 | 1주에는 무엇을 공부할까? ❷

1-1 (1) ① (2) ② 1-2 (1) 사실 (2) 의견
2-1 달래 2-2 (2) ○

1-1 사실이란 실제로 있었던 일이고, 의견이란 실제로 있었던 일에 대한 생각입니다.

1-2 (1)은 그림에서 실제로 있었던 일이므로 사실이고, (2)는 그 일에 대한 생각이므로 의견입니다.

2-1 문장을 쓸 때에는 표현하려는 대상과 비슷한 점이 있는 다른 대상에 빗대어 표현할 수 있습니다.

2-2 (2)에서는 구름을 솜사탕에 빗대어 표현하였습니다.

1일

13쪽 | 똑똑한 하루 글쓰기 미리 보기

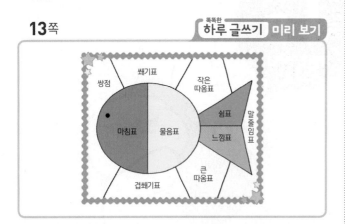

14~15쪽 | 똑똑한 하루 글쓰기

1 달래야, 수업 끝나고 나랑 같이 우리 집에 갈 래 ?

2 (1) 예 | 너 | 는 | ∨ | 힘 | 이 | ∨ | 정 | 말 | ∨ |
| 세 | 더 | 라 | ! | | | | | | |

(2) 예 | 이 | 따 | 가 | ∨ | 우 | 리 | ∨ | 집 | ∨ |
| 대 | 청 | 소 | ∨ | 좀 | ∨ | 도 | 와 | 줘 | . |

1 문장 끝에 물음표가 있으므로 묻는 문장이 되도록 '갈래'라는 말이 들어가야 합니다.

2 (1) 느낌을 나타내는 문장 끝에 쓰는 느낌표가 들어가야 합니다. 그런데 느낌을 강조하지 않고 마침표를 써도 됩니다.

(2) 설명하는 문장 끝에 쓰는 마침표가 들어가야 합니다. 그런데 느낌을 강조하기 위해 느낌표를 써도 됩니다.

16쪽 | 똑똑한 하루 글쓰기 받아쓰기

1 ❶ | 읽 | 고 | ∨ | 대 | 답 | 해 | ∨ | 줘 | . |
❷ | 갑 | 자 | 기 | ∨ | 왜 | ∨ | 그 | 래 | ? |

2 ❶ | 문 | 장 | 부 | 호 | 를 잘못 써서 그런가?
❷ 쪽지 내용이 문제인 것 | 같 | 은 | 데 | …… . |

3 | 달 | 래 | 야 | , | | 네 | 가 | ∨ | 화 | 난 | ∨ |
| 영 | 문 | 을 | ∨ | 모 | 르 | 겠 | 어 | . | | |

17쪽 | 똑똑한 하루 글쓰기 마무리

❶ 예 우리 엄마는 조심쟁이야 .

예 우리 엄마는 조심쟁이야 !

❷ 예 "채민아 , 차 조심해라!"

❸ 예 "조심해, 조심해라 ! "

예 "조심해, 조심해라 . "

❹ 예 우리 엄마는 입도 안 아프신가 ?

○ ❶은 설명하는 문장이므로 마침표를 씁니다. 그런데 설명을 강조하기 위해 느낌표를 써도 됩니다. ❷는 부르는 말 뒤이므로 쉼표를 씁니다. ❸은 명령하는 느낌을 강조하기 위해 느낌표를 씁니다. 그런데 명령하는 느낌을 강조하지 않고 마침표를 써도 됩니다. ❹는 묻는 문장이므로 물음표를 씁니다.

채점 기준		
구분	답안 내용	
평가 기준	문장 ❶~문장 ❹에 모두 알맞은 문장 부호를 썼습니다.	상
	문장 ❶~문장 ❹ 중 세 문장에만 알맞은 문장 부호를 썼습니다.	중
	문장 ❶~문장 ❹ 중 한두 문장에만 알맞은 문장 부호를 썼습니다.	하

2^일

19쪽 똑똑한 **하루 글쓰기** 미리 보기

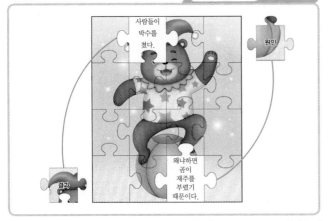

20~21쪽 똑똑한 **하루 글쓰기**

1 (1) 열이 나고 기 침 도 했어요.

(2) 그래서 병 원 에 갔어요.

2 (1) 그래서 열이 내리고 기침도 잦아들었어요.

(2) 왜냐하면 아픈 사람을 치료해 주는 의사 선생님이 훌
륭하다고 생각했기 때문이에요.

1 '열이 나고 기침도 했어요.'가 어떤 일이 일어난 까
닭인 원인이고, 이 때문에 일어난 일인 '그래서 병원
에 갔어요.'가 결과입니다.

2 (1) '병원에 가서 진찰을 받고, 처방받은 약을 먹고
쉬었어요.'와 같은 일 때문에 어떤 일이 일어났을
지 씁니다.

(2) '커서 아픈 사람을 치료해 주는 의사가 되겠다고
다짐했어요.'와 같은 일이 일어난 까닭을 씁니다.

┌─ (더 알아보기) ─

• 앞의 내용이 원인이고 뒤의 내용이 결과일 때에는 '그래
서'를 사용합니다.

㉠ 일기 예보에서 비가 온다고 했다. 그래서 나는 우산
을 가지고 나갔다.

• 앞의 내용이 결과이고 뒤의 내용이 원인일 때에는 '왜냐
하면'을 사용합니다.

㉠ 나는 우산을 가지고 나갔다. 왜냐하면 일기 예보에
서 비가 온다고 했기 때문이다.

22쪽 똑똑한 **하루 글쓰기** 받아쓰기

1 ❶ | 감 | 기 | 에 | ∨ | 걸 | 렸 | 다 | . |

❷ | 열 | 이 | ∨ | 많 | 이 | ∨ | 났 | 다 | . |

2 ❶ 의사 선생님께 | 진 | 찰 | 을 받았다.

❷ 왜냐하면 | 콜 | 록 | 콜 | 록 | 기침을 했기 때문이다.

3 | 동 | 생 | 이 | ∨ | 아 | 파 | 서 | ∨ | 병 |
| 원 | 에 | ∨ | 갔 | 다 | . |

23쪽 똑똑한 **하루 글쓰기** 마무리

❶ 例 그래서 받아쓰기 시험에서 100점을 받았어요.

例 그래서 받아쓰기 실력이 많이 늘었어요.

❷ 例 왜냐하면 내 방 청소를 깨끗이 해 두었기 때문이에요.

例 왜냐하면 내 방이 깨끗했기 때문이에요.

◎ ❶에는 받아쓰기 공부를 열심히 한 결과를 써야 합
니다. ❷에는 엄마께 칭찬을 들은 까닭을 '왜냐하면'
과 어울리는 말을 넣어 써야 합니다.

채점 기준		
구분	**답안 내용**	
평가 기준	❶에는 받아쓰기 공부를 열심히 한 결과를 쓰고, ❷에는 엄마께 칭찬을 들은 까닭을 '~때 문이에요' 등과 같이 '왜냐하면'과 어울리는 말 을 넣어 알맞게 썼습니다.	상
	❶에는 받아쓰기 공부를 열심히 한 결과를 쓰고, ❷에는 엄마께 칭찬을 들은 까닭을 썼지 만 ❷에 '~때문이에요' 등과 같이 '왜냐하면'과 어울리는 말을 넣어 쓰지 못하였습니다.	중
	❶과 ❷에 들어갈 문장 중 한 가지만 알맞게 썼습니다.	하

┌─ (더 알아보기) ─

앞에 '왜냐하면'이라는 말이 올 때에는 뒤에 '~때문이
다'라는 말이 나오는 것이 어울립니다.

㉠ 배가 부르다. 왜냐하면 아침을 많이 먹었기 때문이다.

3일

❶ 실제
❷ 사실
❸ 의견

1 (1) 달래는 놀이공원에서 놀이 기구를 타고 퍼레이 드도 봤다.

(2) 나도 달래처럼 놀이공원에 놀러 가고 싶다.

2 (1)

| 어 | 제 | ∨ | 공 | 원 | 에 | 서 | ∨ | 친 |
|구|와|∨|자|전|거|를|∨|탔|다|.|

(2)

자	전	거	를	∨	탈	∨	때	에
는	∨	보	호	∨	장	비	를	∨	꼭	∨
착	용	해	야	∨	한	다	.

1 '달래는 놀이공원에서 놀이 기구를 타고 퍼레이드도 봤다.'는 한 일과 본 일이므로 사실이고, '나도 달래처럼 놀이공원에 놀러 가고 싶다.'는 그 일에 대한 생각이므로 의견입니다.

2 (1) '어제 공원에서 친구와 자전거를 탔다.'는 한 일이므로 사실을 나타내는 문장입니다.

(2) '자전거를 탈 때에는 보호 장비를 꼭 착용해야 한다.'는 자전거를 타는 일에 대한 생각이므로 의견을 나타내는 문장입니다.

〔 더 알아보기 〕

글을 읽고 사실과 의견 구분하기

• 글쓴이가 한 일, 본 일, 들은 일은 사실입니다.

⟮예⟯ 채빈이는 어제 만화 영화를 보았다.

• 글쓴이의 생각은 의견입니다.

⟮예⟯ 나는 채빈이와 짝이 되고 싶었다.

1 ❶

| | 기 | 린 | 은 | ∨ | 동 | 물 | 이 | 다 | . |

❷

| | 동 | 물 | 을 | ∨ | 사 | 랑 | 하 | 자 | . |

2 ❶

| 어 | 제 | 놀이공원에 다녀왔다. |

❷ 놀이 기구를

| 탔 | 다 | . |

3

| | 놀 | 이 | 공 | 원 | 에 | ∨ | 또 | ∨ | 가 |
| 고 | ∨ | 싶 | 다 | . |

❶ ⟮예⟯

	한		할	머	니	께	서		짐
을		들	고		지	하	철	을
타	셨	다	.

❷ ⟮예⟯

	나	도		착	한		나	무	꾼
처	럼		정	직	하	게		살	아
야	겠	다	.

○ ❶에는 그림을 보고, 어떤 일이 일어났는지 문장으로 써 봅니다. ❷에는 착한 나무꾼이 산신령에게 정직하게 말해 금도끼를 받은 일에 대한 자신의 생각을 써 봅니다.

채점 기준		
구분	**답안 내용**	
평가 기준	❶에는 그림에서 일어난 일을, ❷에는 착한 나무꾼에게 일어난 일에 대한 생각을 모두 알맞게 썼습니다.	상
	❶에는 그림에서 일어난 일을, ❷에는 착한 나무꾼에게 일어난 일에 대한 생각을 썼지만 맞춤법과 띄어쓰기에서 틀린 부분이 있습니다.	중
	❶과 ❷ 중 한 가지만 알맞게 썼습니다.	하

〔 더 알아보기 〕

❶~❷ 답 더 알아보기 ⟮예⟯

❶ 지하철에서 사람들이 할머니께 자리를 양보하지 않았다.

❷ 정직하게 살면 복을 받는다.

4일

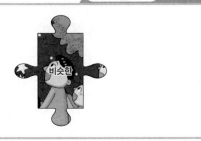

1 (1) 한겨울 이불 속은 |난|로| 처럼 따뜻해요.

(2) 한겨울 이불 속은 |놀|이|터| 처럼 계속 있고 싶어요.

2 (1) 예
| 아 | 기 | 의 | | 눈 | 은 | | 별 | 처 |
| 럼 | | 반 | 짝 | 반 | 짝 | | 빛 | 나 | 요 | . |

예
| 아 | 기 | 의 | | 눈 | 은 | | 가 | 을 |
| 하 | 늘 | 같 | 이 | | 맑 | 아 | 요 | . |

(2) 예
| 내 | | 짝 | 꿍 | 의 | | 얼 | 굴 | 은 |
| 우 | 유 | 처 | 럼 | | 하 | 얘 | 요 | . |

예
| 내 | | 짝 | 꿍 | 의 | | 얼 | 굴 | 은 |
| 찐 | 빵 | 같 | 이 | | 동 | 그 | 래 | 요 | . |

1 (1) '한겨울 이불 속'처럼 '따뜻하다'라는 특징이 있는 대상은 '난로'입니다.

(2) '한겨울 이불 속'처럼 '계속 있고 싶다'라는 특징이 있는 대상은 '놀이터'입니다.

2 (1) '아기의 눈'을 '별'과 '가을 하늘'에 빗대어 표현하는 문장을 쓸 수 있습니다.

(2) '내 짝꿍의 얼굴'을 '우유'나 '찐빵'에 빗대어 표현하는 문장을 쓸 수 있습니다.

채점 기준

보기 의 내용 중 한 가지를 골라 맞춤법과 띄어쓰기에 맞게 썼으면 정답입니다.

1 ❶
| 비 | 단 | 같 | 이 | V | 고 | 운 | V | 손 |

❷
| 눈 | 처 | 럼 | V | 하 | 얀 | V | 얼 | 굴 |

2 ❶ |얼| 음| 처럼 차가운 바람이 불었다.

❷ 솜사탕처럼 |푹| 신| 한| 구름이 떠 있다.

3
| 개 | 나 | 리 | 는 | V | 봄 | 을 | V | 밝 |
| 히 | 는 | V | 노 | 란 | V | 전 | 구 | 이 | 다 | . |

아~함

동생이 하품을 한다

입안이

빨갛게 익은 ❶ | 예 딸기 | 같다

충치는 까맣게 잘 익은 ❷ | 예 딸기 씨 |

○ ❶에는 동생의 입안을 빗대어 표현하는 대상을 써야 합니다. 동생의 입안이 빨갛게 익었다고 하였으므로 보기 중 빨간색 과일인 딸기를 쓰는 것이 알맞습니다. ❷에는 동생의 충치를 빗대어 표현하는 대상을 써야 합니다. 까맣게 잘 익었다고 하였으므로 딸기 씨를 쓰는 것이 알맞습니다.

채점 기준

구분	답안 내용	
평가 기준	❶과 ❷에 모두 알맞은 대상을 써넣어 시를 알맞게 바꾸어 썼습니다.	상
	❶과 ❷ 중 한 가지에만 알맞은 대상을 써넣어 시를 바꾸어 썼습니다.	중
	시를 바꾸어 썼지만 ❶과 ❷에 써넣은 대상이 모두 시의 내용과 알맞지 않습니다.	하

{ 더 알아보기 }

시 바꾸어 쓰기 예

아~함

동생이 하품을 한다

입안이

빨갛게 익은 사과 같다

충치는 까맣게 잘 익은 사과 씨

5일

37쪽

🐼 – 낱말, 🤖 – 장면,

😄 – 자세하게

38~39쪽

1 (1) 예 벚 꽃 이 활짝 피었어요.

　　예 봄 꽃 이 활짝 피었어요.

　(2) 예 봄바람에 꽃 비 가 날려요.

　　예 봄바람에 꽃 잎 이 날려요.

2 (1) 예 • 우리 가족은 샌드위치를 먹었어요.

　(2) 예 • 공원에서 자전거를 타는 사람도 있었어요.

　　• 자전거를 타는 사람이 즐거워 보였어요.

1 그림을 보고, 장면에 어울리는 낱말을 넣어 여러 개의 문장을 만들어 써 볼 수 있습니다.

더 알아보기

문장을 자세하게 쓰는 방법

• 전체 장면을 보고 문장으로 표현합니다.

• 장면을 부분으로 나누어 여러 개의 문장으로 표현합니다.

• 표현하고자 하는 대상이나 상황을 살펴봅니다.

• 적당한 길이로 문장을 씁니다.

• 문장에 낱말을 썼을 때 틀린 문장이 되지 않도록 합니다.

2 (1) 그림에서 가족들이 무엇을 하고 있는지, 또는 어떤 모습인지 문장으로 표현해 봅니다.

　(2) 그림에서 공원에 나온 사람들이 무엇을 하고 있는지, 또는 어떤 모습인지 문장으로 표현해 봅니다.

채점 기준

그림의 내용에 맞게 문장을 알맞게 만들어 썼으면 정답입니다.

40쪽

1 ❶ ☐ 봄 나 들 이 를 ∨ 갔 다 .

　❷ ☐ 가 족 사 진 도 ∨ 찍 었 다 .

2 ❶ 맛있는 도 시 락 을 먹었다.

　❷ 생각만 해도 웃 음 이 날 정도로 즐거웠다.

3 ☐ 봄 이 ∨ 되 자 ∨ 새 싹 이 ∨

　돌 았 다 .

41쪽

❶ 수업이 끝나 예 친구들이 사이좋게 집에 가고 있다.

❷ 한 아이가 학교 앞 분식집에서 예 떡볶이를 사고 있다.

❸ 예 아이들이 학용품을 사러 문방구에 간다.

◎ 그림에서 아이들이 무엇을 하고 있는지, 또는 어떤 모습인지 세 개의 문장으로 만들어 써 봅니다.

채점 기준

구분	답안 내용	
평가 기준	❶~❸에 모두 그림에 알맞은 문장을 만들어 썼습니다.	상
	❶~❸ 중 두 가지만 그림에 알맞은 문장을 만들어 썼습니다.	중
	❶~❸ 중 한 가지만 그림에 알맞은 문장을 만들어 썼습니다.	하

특강

43쪽

형은 " 등 잔 밑 이 어 둡 다 "라는 말처럼 주머니에 넣어 둔 스마트폰을 한참 찾았다.

44쪽

○ '일이 돌아가는 형편이나 그 까닭.'은 낱말 '영문', '봄날의 아름다움을 즐기려고 가까운 곳에 잠시 외출함.'은 낱말 '봄나들이', '병을 치료하기 위하여 증상에 따라 약을 짓는 방법.'은 낱말 '처방'의 뜻입니다.

{ 왜 틀렸을까? }
- **영영**: 영원히 언제까지나.
- **봄빛**: 봄을 느낄 수 있는 경치나 분위기.
- **처리**: 일이나 사건을 절차에 따라 정리해 마무리함.

45쪽

 (2) ○

○ (2)와 같은 고닝 명령을 따라가면 쉼표, 느낌표, 물음표를 모두 지날 수 있습니다.

46쪽

○ '일주일만 지나면 크리스마스야.'는 사실을 나타내는 문장입니다. '이번 크리스마스에는 눈이 내리면 좋겠어요.'와 '크리스마스 선물로 축구화를 받고 싶어요.'는 의견을 나타내는 문장입니다.

47쪽

○ 문장에서는 동생을 보름달, 우유, 콩나물, 곰 인형에 빗대어 표현하였습니다. 그림에서 보름달, 우유, 콩나물, 곰 인형을 찾아봅니다.

누구나 100점 테스트

48~49쪽

1 (1) ② (2) ③ (3) ①

2 달래야, 수업 끝나고 나랑 같이 우리 집에 갈래 [?]

3 (1) 원인 (2) 결과

4

그	래	서	∨	병
원	에	∨	갔	어	요	.

5 (2) ○   **6** 탔 다

7 (2) ○   **8** 쟁 반

9 밤톨

10

봄	바	람	에	∨
꽃	비	가	∨	날	려
요	.

---

1 (1)은 마침표, (2)는 느낌표, (3)은 물음표입니다. ①은 물음표, ②는 마침표, ③은 느낌표의 쓰임입니다.

2 달래에게 묻는 문장이므로 물음표를 써야 합니다.

{ 더 알아보기 }

문장 부호

• 문장 부호는 문장의 뜻을 이해하기 쉽게 해 줍니다.

• 쉼표(,)와 마침표(.)는 ☐ 안의 왼쪽 아래에 오도록 쓰고, 물음표(?)와 느낌표(!)는 ☐ 안의 가운데에 오도록 씁니다. 예 `,` `.` `?` `!`

• 마침표가 쓰인 문장은 끝이 올라가거나 내려가지 않게 읽습니다.

• 물음표가 쓰인 문장은 궁금한 점이나 잘 모르는 것을 물어보는 것처럼 끝을 올려 읽습니다.

• 느낌표가 쓰인 문장은 깜짝 놀라거나, 몰랐던 사실을 알게 되었거나, 갑자기 어떤 생각을 하게 되었을 때처럼 느낌을 살려 읽습니다.

3 어떤 일이 일어난 까닭을 '원인'이라고 하고, 그 때문에 일어난 일을 '결과'라고 합니다.

4 열이 나고 기침도 한 일 때문에 일어난 일로 알맞은 것은 '병원에 갔어요.'입니다.

5 (1)과 (3)은 사실을 나타내는 문장이고, (2)는 의견을 나타내는 문장입니다.

6 '놀이 기구를 탓다.'에서 '탓다'는 '탔다'라고 고쳐 써야 합니다.

7 (2)의 문장에서는 '한겨울 이불 속'을 '엄마의 품속'에 빗대어 표현하였습니다.

{ 왜 틀렸을까? }

(1)에서는 '한겨울 이불 속'이 '따뜻하다'라는 특징을 썼지만, 다른 대상에 빗대어 표현하지는 않았습니다. '한겨울 이불 속은 엄마의 품속처럼 따뜻하다.' 등과 같이 써야 '한겨울 이불 속'을 다른 대상에 빗대어 표현한 문장이 됩니다.

8 '보름달'을 '둥글다'라는 비슷한 점이 있는 '쟁반'에 빗대어 표현하였습니다.

9 여러 개의 문장으로 표현하면 장면을 자세하게 나타낼 수 있습니다.

10 그림을 보면 벚꽃이 활짝 피어 있고, 봄바람에 꽃비가 날리고 있습니다. '봄바람에 꽃비가 날려요.'라는 문장을 원고지에 알맞게 써 봅니다.

한 주 동안 수고했어요!

52~53쪽   2주에는 무엇을 공부할까? ❷

1-1 (1) ○
1-2 와! 여기에 먹을 음식이 정말 많 다 .
2-1 (1) 다르다 (2) 틀리다
2-2 내 쌍둥이 동생들은 성격이 완전히 다 르 다 .

1-1 '크다'는 '길이, 넓이, 높이, 부피 등이 보통 정도를
      넘다.'라는 뜻입니다.

1-2 먹을 음식의 양이 일정한 기준을 넘게 있다는 것
      을 말하고 있으므로, '수나 양, 정도 등이 일정한
      기준을 넘다.'라는 뜻의 '많다'가 들어가야 합니다.

2-1~2-2 '다르다'는 '비교가 되는 두 대상이 서로 같
      지 않다.'라는 뜻이고, '틀리다'는 '셈이나 사실 등
      이 잘못되거나 어긋나다.'라는 뜻입니다.

 1일

55쪽   똑똑한 하루 글쓰기 미리 보기

 – 작 다 ,   – 적 다 ,   – 많 다

56~57쪽   똑똑한 하루 글쓰기

1 (1) 사슴은 기린보다 키가 작 다 .
   (2) 청 팀보다 홍 팀 동물의 수가 적 다 .
2 (1) 내 발은 아빠 발보다 작다.
   (2) 내 딸기는 동생의 딸기보다 양이 적다.

1 (1) 그림에서 사슴은 기린보다 키가 작다는 것을 알 수
      있습니다.
   (2) 그림에서 청 팀보다 홍 팀 동물의 수가 적다는 것을
      알 수 있습니다.

2 (1) 그림에서 아빠와 아이가 발 크기를 재고 있는데
      아이의 발이 아빠의 발보다 작다는 것을 알 수 있
      습니다.

(2) 그림에서 화살표가 표시되어 있는 딸기의 양이 적
      음을 알 수 있습니다.

┤ 더 알아보기 ├
**'작다'와 '적다'처럼 헷갈리기 쉬운 낱말을 구분하여 바른
말을 사용해야 하는 까닭**
• 자신의 생각을 정확하게 표현할 수 있습니다.
• 다른 사람과 대화할 때 오해를 줄일 수 있습니다.

58쪽   똑똑한 하루 글쓰기 받아쓰기

1 ❶   꽃 의 ∨ 키 가 ∨ 작 다 .
  ❷   구 슬 ∨ 개 수 가 ∨ 적 다 .
2 ❶ 개미는 크기가 정 말 작다.
  ❷ 짝꿍보다 내 색 연 필 의 개수가 적다.
3   우 유 의 ∨ 양 이 ∨ 너 무 ∨
   적 다 .

59쪽   똑똑한 하루 글쓰기 마무리

❶   야 구 공 은 ∨ 축 구
   공 보 다 ∨ 작 다 .
❷   야 구 장 에 ∨ 사 람
   이 ∨ 너 무 ∨ 적 다 .

❶ 그림을 통해 야구공이 축구공보다 크기가 작다는 것
   을 알 수 있습니다.

❷ 그림을 통해 야구장에 사람이 적게 있다는 것을 알
   수 있습니다.

채점 기준

구분	답안 내용	
평가 기준	보기 에서 알맞은 말을 골라 ❶과 ❷의 그림에 어울리는 문장을 모두 알맞게 썼습니다.	상
	❶과 ❷의 그림에 어울리는 문장을 썼지만 맞춤법에 틀린 부분이 있습니다.	중
	❶과 ❷의 그림에 어울리는 문장을 한 가지만 맞게 썼습니다.	하

2일

61쪽 똑똑한 **하루 글쓰기** 미리 보기

❶ 많 다
❷ 크 다
❸ 적 다

62~63쪽 똑똑한 **하루 글쓰기**

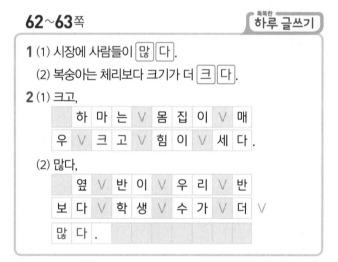

1 (1) 시장에 사람들이 많 다 .

(2) 복숭아는 체리보다 크기가 더 크 다 .

2 (1) 크고,

| 하 | 마 | 는 | ∨ | 몸 | 집 | 이 | ∨ | 매 |
| 우 | ∨ | 크 | 고 | ∨ | 힘 | 이 | ∨ | 세 | 다 | . |

(2) 많다,

옆	∨	반	이	∨	우	리	∨	반
보	다	∨	학	생	∨	수	가	∨	더	∨
많	다	.

1 (1) 그림에서 시장에 사람들이 많다는 것을 알 수 있습니다.

(2) 그림에서 복숭아가 체리보다 크기가 더 크다는 것을 알 수 있습니다.

2 (1) 낱말 '크고'가 알맞습니다.

(2) 낱말 '많다'가 알맞습니다.

(왜 틀렸을까?)

• 하마는 몸집이 매우 많고 힘이 세다. → '많고'는 '수나 양, 정도 등이 일정한 기준을 넘고.'의 뜻이므로, 하마의 몸집을 말할 때에는 낱말 '크고'를 사용해야 합니다.

• 옆 반이 우리 반보다 학생 수가 더 크다. → '크다'는 '길이, 넓이, 높이, 부피 등이 보통 정도를 넘다.'의 뜻이므로, 학생의 수를 말할 때에는 낱말 '많다'를 사용해야 합니다.

64쪽 똑똑한 **하루 글쓰기** 받아쓰기

1 ❶

| 시 | 장 | 에 | ∨ | 갔 | 는 | 데 |

❷

| 정 | 신 | 이 | ∨ | 없 | 었 | 어 | . |

2 ❶ 형이 용 돈 을 많이 모았다.

❷ 새로 산 가 방 이 너무 크다.

3

| 내 | ∨ | 짝 | 은 | ∨ | 나 | 보 | 다 | ∨ |
| 손 | 이 | ∨ | 크 | 다 | . |

65쪽 똑똑한 **하루 글쓰기** 마무리

❶

| 교 | 실 | 에 | ∨ | 우 | 산 | 이 | ∨ |
| 많 | 다 | . |

❷

| 노 | 란 | 색 | ∨ | 우 | 산 | 이 | ∨ |
| 제 | 일 | ∨ | 크 | 다 | . |

❶ 그림을 통해 교실에 우산이 많이 꽂혀 있음을 알 수 있습니다.

❷ 그림을 통해 노란색 우산이 제일 크고, 초록색 우산이 제일 작음을 알 수 있습니다.

채점 기준		
구분	답안 내용	
평가 기준	❶과 ❷의 그림에 어울리는 문장을 보기 의 말을 넣어 모두 알맞게 썼습니다.	상
	❶과 ❷의 그림에 어울리는 문장을 썼지만 맞춤법에 틀린 부분이 있습니다.	중
	❶과 ❷의 그림에 어울리는 문장을 한 가지만 맞게 썼습니다.	하

(더 알아보기)

'많다'와 '크다'처럼 헷갈리기 쉬운 낱말을 구분하여 바르게 사용하는 방법

• 헷갈리기 쉬운 낱말의 뜻을 국어사전에서 찾아봅니다.

• 부모님이나 선생님께 여쭈어봐서 정확한 뜻을 알기 위해 노력하는 자세가 필요합니다.

3일

 - 다 르 다 , - 틀 리 다 ,

 - 같 다

1 (1) 나와 언니는 생김새가 다 르 다 .

(2) 수학 시험에서 한 문제를 틀 렸 다 .

2 (1) 글쓰기 숙제를 하고 확인해 보니 틀린 글자가 많았다.

(2) 엄마와 나는 서로 다른 음식을 좋아한다.

1 (1) 그림에서 두 자매의 생김새가 다르다는 것을 알 수 있습니다.

(2) 여자아이가 한 문제를 틀린 수학 시험지를 보고 있습니다.

(왜 틀렸을까?)

(1) 생김새는 셈이나 사실 등이 잘못되거나 어긋난 것이 아니기 때문에 '틀렸다'라는 낱말은 쓸 수 없습니다.

(2) 한 문제에 대한 답이 맞지 않았으므로 '다르다'라는 낱말은 쓸 수 없습니다.

2 (1) 그림에서 글쓰기 숙제에 틀린 글자가 많음을 알 수 있습니다.

(2) 아이는 햄버거를 먹고 있고, 엄마는 비빔밥을 먹고 있습니다.

1 ❶ 전 학 ∨ 왔 어 요 .

❷ 생 김 새 가 ∨ 똑 같 니 ?

2 ❶ 나와 동생은 성 격 이 완전히 다르다.

❷ 그 말은 틀 렸 습 니 다 .

3 받 아 쓰 기 에 서 ∨ 틀 린 ∨ 글 자 를 ∨ 다 시 ∨ 썼 다 .

점 원 의 ∨ 계 산 이 ∨ 틀 려 서 ∨ 돈 을 ∨ 더 ∨ 냈 다 .

○ '달라서'를 '틀려서'로 고쳐 써야 합니다.

채점 기준		
구분	답안 내용	
평가 기준	'다르다'와 '틀리다'의 뜻을 구분해 낱말을 바르게 고치고 문장을 다시 잘 썼습니다.	상
	낱말을 바르게 고쳐 썼으나 문장을 다시 쓰지 않았습니다.	중
	낱말을 바르게 고쳐 쓰지 않고 문장을 그대로 다시 썼습니다.	하

(더 알아보기)

'다르다'와 '틀리다'의 반대되는 말

• '다르다'의 반대되는 말은 '서로 다르지 않고 하나이다.'라는 뜻의 '같다'입니다.

• '틀리다'의 반대되는 말은 '문제에 대한 답이 틀리지 않다.'라는 뜻의 '맞다'입니다.

4일

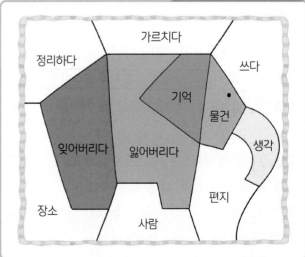

74~75쪽 똑똑한 하루 글쓰기

1 (1) 미술 준비물 챙기는 것을 잊 어 버 렸 다 .
　(2) 아끼는 꽃 머리핀을 길에서 잃 어 버 렸 다 .

2 (1)

현	관	V	비	밀	번	호	를	V
잊	어	버	렸	다	.			

　(2)

길	에	서	V	지	갑	을	V	잃
어	버	렸	다	.				

1 (1) 그림 속 여자아이가 '맞다! 미술 준비물…….'이라고 생각하는 것으로 보아, 미술 준비물 챙기는 것을 잊어버렸다는 것을 알 수 있습니다.
　(2) 그림에서 여자아이가 급하게 뛰어가다가 꽃 머리핀을 길에서 잃어버렸다는 것을 알 수 있습니다.

2 (1) 그림 속 남자아이는 현관 비밀번호를 잊어버려서 난처한 표정을 짓고 있습니다.
　(2) 그림 속 남자아이가 길에서 지갑을 떨어뜨려 잃어버렸다는 것을 알 수 있습니다.

┌─ **더 알아보기** ─────────
│ **헷갈리기 쉬운 낱말 더 알아보기** 예
│ • 같다 / 갔다
│ • 붙이다 / 부치다
│ • 맞다 / 맡다
│ • 바치다 / 받치다
└──────────────────────

76쪽 똑똑한 하루 글쓰기 받아쓰기

1 ❶

정	신	없	이	V	나	오	느	라

　❷

머	리	핀	이	V	없	었	다	.

2 ❶ 옆 집 에 살았던 친구의 이름을 잊어버렸다.
　❷ 내 보물 상자의 열 쇠 를 잃어버렸다.

3

잊	어	버	렸	던	V	친	구	와
의	V	약	속	이	V	생	각	났	다	.

77쪽 똑똑한 하루 글쓰기 마무리

○ '잊어버리다'와 '잃어버리다'의 뜻과 쓰임을 구분해서 보기 에서 알맞은 말을 골라 ❶~❹에 넣어 문장을 완성해 봅니다.

채점 기준		
구분	**답안 내용**	
평가 기준	보기 의 말을 사용하여 만화의 앞뒤 내용에 어울리게 ❶~❹에 들어갈 말을 모두 맞게 잘 썼습니다.	상
	❶~❹ 중 보기 의 말을 사용하여 만화의 앞뒤 내용에 어울리게 두세 가지만 맞게 썼습니다.	중
	❶~❹ 중 보기 의 말을 사용하여 만화의 앞뒤 내용에 어울리게 한 가지만 맞게 썼습니다.	하

┌─ **왜 틀렸을까?** ─────────
│ 　❶, ❷에서는 가지고 있던 카메라와 사진이 없어져 아주 갖지 않게 되었기 때문에 '잃어버리다'를 써야 합니다.
│ 　❸, ❹에서는 기억해야 하는 것을 기억하지 못할까 봐 걱정하고 있으므로 '잊어버리다'를 써야 합니다.
└──────────────────────

5일

79쪽 똑똑한 하루 글쓰기 미리 보기

가리키다

80~81쪽   똑똑한 하루 글쓰기

1 (1) 친구가 가리키는 곳을 보았다.

  (2) 언니가 춤을 가르쳐 주었다.

2 (1)

선생님께서	∨	뺄셈을	∨
가르쳐	∨	주셨다.	

  (2)

아이는	∨	장난감을	∨
가리키며	∨	울었다.	

1 (1) 그림에서 친구가 검은 고양이를 손으로 가리키고 있습니다.

  (2) 그림에서 언니가 동생에게 춤을 가르쳐 주고 있습니다.

2 (1) 수업 시간에 선생님께서 아이들에게 뺄셈을 가르쳐 주고 계십니다.

  (2) 그림에서 아이는 장난감 가게에서 장난감을 가리키며 울고 있습니다.

---(더 알아보기)---

'가리키다'와 '가르치다'가 바르게 쓰인 문장 더 알아보기 예

• 아이는 땅에 떨어뜨린 초콜릿을 <u>가리키며</u> 울었다.

• 친구가 눈으로 <u>가리키는</u> 곳에 화장실이 있었다.

• 아빠께서 컴퓨터를 켜는 방법을 <u>가르쳐</u> 주셨다.

• 엄마께서는 고등학교에서 영어를 <u>가르치는</u> 일을 하신다.

82쪽   똑똑한 하루 글쓰기 받아쓰기

1 ❶

서랍장	∨	위에	∨	있는

  ❷

외국인	∨	관광객에게

2 ❶

시곗바늘	이 두 시를 가리키고 있었다.

  ❷ 아저씨께서 체육관 의 위치를 가르쳐 주셨다.

3

아이가	∨	손으로	∨	사
과를	∨	가리켰다.		

83쪽   똑똑한 하루 글쓰기 마무리

선생님께

  선생님, 안녕하세요? 저는 수혁이예요.

  어제 국어 시간에 선생님께서 헷갈리기 쉬운 낱말에 대해서 ❶ 열심히 가르쳐 주셨는데 집중하지 않아서 정말 죄송해요.

  짝꿍이 ❷ 창밖을 손가락으로 가리켜 창밖에 있는 새를 보느라 수업에 집중하지 못했어요.

  앞으로는 선생님 말씀을 집중해서 잘 들을게요.

  그럼, 안녕히 계세요.

20○○년 4월 17일

수혁 올림

○ 편지의 앞뒤 내용을 보고, ❶과 ❷에 알맞은 문장을 각각 씁니다.

구분	답안 내용	
평가 기준	보기 의 말을 사용하여 편지의 앞뒤 내용에 어울리게 ❶과 ❷의 문장을 모두 알맞게 잘 썼습니다.	상
	보기 의 말을 사용하여 편지의 앞뒤 내용에 어울리게 ❶과 ❷의 문장을 썼으나 맞춤법에 틀린 부분이 있습니다.	중
	❶과 ❷의 문장 중 하나만 알맞게 썼습니다.	하

채점 기준

---(왜 틀렸을까?)---

  ❶은 선생님께서 모르는 것을 알려 주고 계시는 상황이므로 '가르치다'가 들어 있는 문장이 알맞습니다.

  ❷는 친구가 손가락으로 창밖에 새가 있다는 것을 알려 주고 있는 상황이므로 '가리키다'가 들어 있는 문장이 알맞습니다.

특강   똑똑한 하루 창의·융합·코딩

85쪽

  형이 공부하고 있는 나에게 게임을 하자고 계속 꼬드긴다.

86쪽

● 아이가 메고 있는 가방의 크기를 말하고 있으므로 '내가 멘 가방의 크기가 크다.'가 맞는 표현입니다. 형이 모르는 길을 알려 주었는데 길을 잘못 알려 준 상황이므로 '형이 가르쳐 준 길이 틀렸다.'가 맞는 표현입니다. 아이가 가졌던 물건이 없어진 상황이므로 '숲에서 모자를 잃어버렸다.'가 맞는 표현입니다.

┌─ **왜 틀렸을까?** ─┐

• **많다**: 수나 양, 정도 등이 일정한 기준을 넘다.

• **가리켜**: 손가락 등으로 어떤 방향이나 대상을 집어서 보이거나 말하거나 알려.

• **달랐다**: 비교가 되는 두 대상이 서로 같지 않았다.

• **잊어버렸다**: 한번 알았던 것이나 기억해야 할 것을 모두 기억하지 못하거나 한순간 전혀 생각해 내지 못했다.

87쪽

 홍 팀 동물 중 키가 가장 작은 동물은 　코　알　라　예요.

● 호랑이는 코끼리보다 키가 작고 코알라는 호랑이보다 키가 작으므로 코알라가 키가 가장 작습니다.

88쪽

● 헷갈리기 쉬운 낱말이 바르게 쓰인 칸을 모두 지나 도착 지점까지 가려면 → 방향으로 1칸, ↓ 방향으로 1칸, → 방향으로 1칸, ↓ 방향으로 2칸, → 방향으로 1칸을 가야 합니다.

89쪽

● 두 그림을 비교해 보며 서로 다른 부분을 찾아봅니다.

90~91쪽

1 (1) ② (2) ①
2 내 발은 아빠 발보다 작 다.
3 (2) ○   4 서윤
5 글봇
6

젓	가	락	∨	두	∨
짝	의	∨	길	이	가	∨
다	르	다	.

7 잃 어 버 린
8 미술 준비물 챙기는 것을 잊 어 버 리 다.
9 지선
10 (1) × (2) ○ (3) ×

1 '수나 양, 정도가 일정한 기준에 미치지 못하다.'는 '적다'의 뜻이고, '길이, 넓이, 부피 등이 비교 대상이나 보통보다 덜하다.'는 '작다'의 뜻입니다.

2 그림에서 아빠와 아이가 발 크기를 재고 있는데 아이의 발이 아빠의 발보다 크기가 작음을 알 수 있습니다.

3 '길이, 넓이, 높이, 부피 등이 보통 정도를 넘다.'는 '크다'의 뜻입니다.

(왜 틀렸을까?)
'많다'는 '수나 양, 정도 등이 일정한 기준을 넘다.'라는 뜻입니다.

4 노란색 우산, 초록색 우산, 빨간색 우산 중에서 노란색 우산이 제일 큽니다.

5 '다르다'는 '비교가 되는 두 대상이 서로 같지 않다.'라는 뜻입니다.

(왜 틀렸을까?)
'셈이나 사실 등이 잘못되거나 어긋나다.'는 '틀리다'의 뜻입니다.

6 비교가 되는 두 짝의 젓가락의 길이가 서로 같지 않으므로 '다르다'라는 말을 넣어 문장을 완성하고 따

라 써 봅니다.

7 자신이 가졌던 물건이 없어진 것이므로 '잃어버린'으로 고쳐 써야 합니다.

(왜 틀렸을까?)
'잊어버린'은 어떤 것을 기억하지 못했을 때 씁니다.

8 '한번 알았던 것이나 기억해야 할 것을 모두 기억하지 못하거나 한순간 전혀 생각해 내지 못하다.'는 '잊어버리다'의 뜻입니다.

9 그림에서 한 친구가 손으로 인형을 가리켰습니다. 바르게 말한 친구는 지선이입니다.

10 (1) '시곗바늘이 1시를 가르치고 있다.'는 '시곗바늘이 1시를 가리키고 있다.'로 고쳐 써야 하고, (3) '언니가 나에게 춤을 가리켜 주었다.'는 '언니가 나에게 춤을 가르쳐 주었다.'로 고쳐 써야 합니다.

한 주 동안
수고했어요~!

94~95쪽 | 3주에는 무엇을 공부할까? ❷

1-1 (1) ○ 1-2 (1) ② (2) ①
2-1 (2) × 2-2 ❹, ❸

1-1 원인과 결과에 따라 이야기를 꾸며 쓸 때에는 일이 일어난 까닭이 무엇인지, 그 결과 어떤 일이 일어났는지 써야 합니다. (2)는 문제를 해결하는 이야기를 꾸며 쓰는 방법입니다.

1-2 그림에 알맞은 내용을 각각 찾아봅니다.

2-1 그림의 차례를 정해 이야기를 꾸며 쓸 때에는 이야기의 흐름이 자연스럽게 꾸며 써야 합니다.

2-2 첫 번째 문장은 그림 ❷, 두 번째 문장은 그림 ❶, 세 번째 문장은 그림 ❹, 네 번째 문장은 그림 ❸의 내용입니다.

1일

97쪽 | 똑똑한 **하루 글쓰기** 미리 보기

- 어 디, - 누 구,

- 어 떤 일

98~99쪽 | 똑똑한 **하루 글쓰기**

1 바닷속을 탐험하다가 사고를 당했을 때 인 어 가 나타나 숨을 불어 넣어 주고 잠 수 함 까지 데려다주었다.
2 그때 예 인어가 나타나 숨을 불어 넣어 주고 잠수함까지 데려다주었어요.

1 그림을 보면 인어가 사고를 당한 기준이에게 숨을 불어 넣어 주고 있습니다.

2 그림의 내용과 이야기의 앞뒤 내용에 어울리게 장면 ❸에서 일어난 일을 상상하여 써 봅니다.

100쪽 | 똑똑한 **하루 글쓰기** 받아쓰기

1 ❶ 미 래 의 ∨ 어 느 ∨ 날
  ❷ 해 저 ∨ 탐 험 가

2 ❶ 바 닷 속 깊이 들어갔어요.
  ❷ 산소통을 잃 어 버 렸 어 요 .

3 아 끼 던 ∨ 시 계 를 ∨ 인
  어 에 게 ∨ 주 었 어 요 .

101쪽 | 똑똑한 **하루 글쓰기** 마무리

예 현솔이가 딱지를 잃고 채민이에게 화를 내는 바람에 두 사람은 다투었어요.
예 채민이와 현솔이는 서로 자기의 놀이 규칙이 맞다고 주장하다 다투었어요.

◉ 채민이와 현솔이가 딱지치기를 할 때 어떤 일이 일어났을지 상상하여 써 봅니다.

채점 기준

구분	답안 내용	
평가 기준	그림과 이야기의 앞뒤 내용에 알맞게 채민이와 현솔이가 딱지치기를 할 때 일어난 일을 상상하여 썼습니다.	상
	채민이와 현솔이가 딱지치기를 할 때 일어난 일을 상상하여 썼지만 이야기의 앞뒤 내용과 알맞지 않은 부분이 있습니다.	중
	그림과 이야기의 앞뒤 내용에 어울리지 않게 상상하여 썼습니다.	하

{ 더 알아보기 }

딱지치기 방법
• 가위바위보로 순서를 정합니다.
• 진 사람이 땅바닥에 딱지 한 장을 놓습니다.
• 이긴 사람이 자기 딱지로 상대방의 딱지를 내리칩니다.
• 상대방의 딱지가 넘어가면 상대방의 딱지를 가집니다.
• 딱지를 잃은 사람은 다시 딱지 한 장을 바닥에 놓습니다.
• 뒤집기에 실패하면 자기 딱지는 그 자리에 둔 채 다음 사람에게 기회가 넘어갑니다.

2일

103쪽
똑똑한 하루 글쓰기 **미리 보기**

❶ 어 느
❷ 새 로 운
❸ 내 용

보 라 철 **새**
어 느 뽕 **로**
머 방 귀 **운**
니 이 **내 용**

104~105쪽
똑똑한 하루 글쓰기

1 다람쥐들은 미안한 마음이 들었어요. 그래서 나무에 올라가 사과를 따서 토끼에게 주었어요.

2 다람쥐들은 미안한 마음이 들어서 나무에 올라가 사과를 따서 토끼에게 주었어요.

3
다	람	쥐	들	은	∨	미	안	한	∨
마	음	이	∨	들	어	서	∨	나	무
에	∨	올	라	가	∨	사	과	를	∨
따	서	∨	토	끼	에	게	∨	주	었
어	요	.							

1 다람쥐들이 던진 도토리에 토끼가 맞았으므로 다람쥐들은 미안한 마음이 들었을 것입니다. 또 그림을 보면 다람쥐들이 나무에 올라가 사과를 따서 토끼에게 주고 있습니다.

{ 더 알아보기 }

마음을 나타내는 말 예

　기쁘다, 만족스럽다, 설레다, 자랑스럽다, 신나다, 행복하다, 재미있다, 홀가분하다, 긴장하다, 두렵다, 놀라다, 걱정하다, 밉다, 짜증 나다, 답답하다, 부끄럽다, 귀찮다, 지루하다, 미안하다, 속상하다, 그립다, 괴롭다, 후회하다

2 '~ 들었어요.'와 '그래서'를 합쳐서 '들어서'로 쓰면 두 문장을 한 문장으로 쓸 수 있습니다.

3 2에서 쓴 문장을 넣어 장면 ❹의 내용을 바꾸어서 써 봅니다.

106쪽
똑똑한 하루 글쓰기 **받아쓰기**

1 ❶
	도	토	리	에	∨	맞	았	어	요	.

　❷
	잘	못	을	∨	따	졌	어	요	.

2 ❶ 도토리 멀리 던지기 놀 이 를 했어요.

　❷ 다 람 쥐 들 은 토끼에게 사과했어요.

3
	둘	도	∨	없	는	∨	친	구	가	∨
되	었	어	요	.						

107쪽
똑똑한 하루 글쓰기 **마무리**

예
	동	생	이		새		책	을	
사	라	며		자	신	의		돼	지
저	금	통	을		내	밀	었	어	요	.

예
	동	생	이		미	안	하	다	며
아	끼	던		돼	지		인	형	을
나	에	게		주	었	어	요	.	

◯ 장면 ❸의 내용을 어떻게 바꾸고 싶은지 생각해 보고, 바뀐 그림에 어울리게 이야기의 내용을 바꾸어 써 봅니다.

3일

109쪽 ^{똑똑한} **하루 글쓰기** 미리 보기

110~111쪽 ^{똑똑한} **하루 글쓰기**

1 까마귀들은 부리가 짧 아 유리병 속의 물을 마실 수 없
었어요. 까마귀들은 유리병 속에 돌 멩 이 를 채워 넣
었어요.

2 부리가 짧 아 유리병 속의 물을 마실 수 없었던 까마귀
들은 유 리 병 속에 돌 멩 이 를 채 워 넣었어
요.

3

부	리	가	∨	짧	아	∨	유	리
병	∨	속	의	∨	물	을	∨	마	실	∨
수	∨	없	었	던	∨	까	마	귀	들
은	∨	유	리	병	∨	속	에	∨	돌
멩	이	를	∨	채	워	∨	넣	었	어
요	.								

1 까마귀들이 유리병 속의 물을 마실 수 없었던 까닭
은 부리가 짧았기 때문입니다. 그림에서 까마귀들은
돌멩이를 물어다 유리병 속을 채우고 있습니다.

┌─ **더 알아보기** ─┐

「까마귀의 지혜」의 교훈

• 어려운 일이 생겨도 지혜가 있으면 해결할 수 있습니다.

• 쉽게 포기하지 말아야 합니다. 등

2 반복되는 말 '까마귀들은'을 한 번만 쓰고, '없었어
요.'를 '없었던'으로 쓰면 두 문장을 한 문장으로 쓸
수 있습니다.

3 목이 마른 까마귀들이 물이 조금 들어 있는 목이 좁
고 긴 유리병 속의 물을 어떻게 마셨을지 상상하여
써 봅니다.

채점 기준

물이 조금 들어 있는 목이 좁고 긴 유리병 속의 물을 마
실 수 없다는 문제 상황을 해결할 수 있는 방법을 맞춤법
과 띄어쓰기에 맞게 썼으면 정답입니다.

112쪽 ^{똑똑한} **하루 글쓰기** 받아쓰기

1 ❶ 까 마 귀 의 ∨ 지 혜

❷ 우 물 을 ∨ 찾 아 갔 어 요 .

2 ❶ 우 물 도 말 라 물 을 마 실 수 ∨ 없 었 어 요 .

❷ 목 이 좁 고 긴 유 리 병 이 있 었 어 요 .

3

물	이	∨	유	리	병	∨	위	에
까	지	∨	차	올	랐	어	요	.

113쪽 ^{똑똑한} **하루 글쓰기** 마무리

예

곰	과	토	끼	는	두	더
지	에	게	공	을	꺼	내
달	라	고	부	탁	했	어	요	.

예

곰	과	토	끼	는	구	덩
이	에	물	을	부	어	공
이	떠	오	르	게	했	어	요	.

● 곰과 토끼가 공놀이를 하다가 공이 구덩이에 빠지는
문제가 생겼습니다. 이와 같은 문제 상황을 어떻게
해결하면 좋을지 생각해 보고, 알맞은 내용을 골라
써 봅니다.

채점 기준

구분	답안 내용	
평가 기준	**보기** 의 내용 중 한 가지를 골라 맞춤법과 띄어쓰기에 맞게 썼습니다.	상
	보기 의 내용 중 한 가지를 골라 썼지만 맞춤법과 띄어쓰기에 틀린 부분이 있습니다.	중
	공이 구덩이에 빠진 문제를 해결할 수 있는 방법으로 알맞지 않은 내용을 썼습니다.	하

4일

115쪽　　　하루 글쓰기 미리 보기

❶ 까 닭

❷ 결 과

❸ 연 결

116~117쪽　　　하루 글쓰기

1 (1) 이튿날, 착한 할아버지는 할머니를 그 샘 으로 데려 갔어요.

(2) 착한 할아버지는 할머니도 그 샘 물 을 마시게 했어 요.

2 이튿날, 착한 할아버지는 할머니를 그 샘 으 로 데려 가 할머니도 그 샘 물 을 마 시 게 했어요.

3

	이	튿	날	,		착	한	V	할	아
버	지	는	V	할	머	니	를	V	그	V
샘	으	로	V	데	려	가	V	할	머	
니	도	V	그	V	샘	물	을	V	마	
시	게	V	했	어	요	.				

1 (1) 착한 할아버지가 할머니를 데려간 곳은 젊어지는 샘물을 마실 수 있는 샘이었을 것입니다.

(2) 할머니가 젊어진 까닭은 젊어지는 샘물을 마셨기 때문일 것입니다.

2 할머니가 왜 젊어졌을지 한 문장으로 정리하여 써 봅니다.

3 2에서 쓴 문장을 넣어 장면 ❸에서 일어난 일을 써 봅니다.

　채점 기준

　할머니가 젊어진 까닭을 맞춤법과 띄어쓰기에 맞게 썼으면 정답입니다.

118쪽　　　하루 글쓰기 받아쓰기

1 ❶

| | 젊 | 어 | 지 | 는 | V | 샘 | 물 | | |

❷

| | 샘 | 을 | V | 발 | 견 | 했 | 어 | 요 | . |

2 ❶ 샘물을 꿀 꺽 꿀 꺽 마셨어요.

❷ 젊 은 이 의 얼굴로 변했어요.

3

| | 샘 | 물 | 을 | V | 마 | 신 | V | 할 | 머 |
| 니 | 도 | V | 젊 | 어 | 졌 | 어 | 요 | . | |

119쪽　　　하루 글쓰기 마무리

예

욕	심	쟁	이		할	아	버	지
는		그	만		아	기	가		되
고		말	았	어	요	.			

예

욕	심	쟁	이		할	아	버	지
는		욕	심	을		부	리	다	
아	기	로		변	했	어	요	.	

◉ 욕심쟁이 할아버지가 젊어지고 싶은 욕심에 젊어지는 샘물을 너무 많이 마셔 어떤 결과가 생겼을지 상상하여 써 봅니다.

채점 기준

구분	답안 내용	
평가 기준	욕심쟁이 할아버지가 젊어지는 샘물을 너무 많이 마신 일의 결과에 알맞은 내용을 맞춤법과 띄어쓰기에 맞게 썼습니다.	상
	욕심쟁이 할아버지가 젊어지는 샘물을 너무 많이 마신 일의 결과에 알맞은 내용을 썼지만 맞춤법과 띄어쓰기에 틀린 부분이 있습니다.	중
	욕심쟁이 할아버지가 젊어지는 샘물을 너무 많이 마신 일의 결과로 알맞지 않은 내용을 썼습니다.	하

〔 더 알아보기 〕

「젊어지는 샘물」의 교훈

• 지나치게 욕심을 부리면 안 됩니다.

• 착하게 살면 복을 받습니다. 등

5일

121쪽 · 똑똑한 하루 글쓰기 · 미리 보기

🐼 - 흐 름 , 🐝 - 그 림

🦈 - 결 과

122~123쪽 · 똑똑한 하루 글쓰기

1 (1) 한 아이가 도 토 리 를 주우며 놀고 있음.

(2) 아이는 다 람 쥐 를 따라 숲속 깊이 들어감.

2 ❶ 한 아이가 숲속 캠핑장에서 도 토 리 를 주 우 며 놀고 있었어요.

❷ 그때 다람쥐 한 마리가 나타나 아이는 다 람 쥐 를 따 라 숲속 깊이 들어갔어요.

3 한 아이가 ❶ 예 숲속 캠핑장에서 도토리를 주우며 놀고 있었어요. 그때 ❷ 예 다람쥐 한 마리가 나타나 아이는 다람쥐를 따라 숲속 깊이 들어갔어요. 숲속 깊이 들어가자 놀랍게도 다람쥐가 말을 했어요. 다람쥐는 사람들 때문에 겨우내 먹을 도토리가 부족하다며 눈물을 흘렸어요. 아이는 가방과 주머니에서 도토리를 꺼내 다람쥐에게 돌려주며 미안하다고 사과했어요.

1 (1) 그림 ❶에서 아이는 도토리를 주우며 놀고 있습니다.

(2) 그림 ❷에서 아이는 다람쥐를 따라 숲속 깊이 들어가고 있습니다.

2 그림 ❶과 그림 ❷에서 일어난 일을 각각 문장으로 써 봅니다.

3 **2**에서 쓴 문장을 넣어 '그림 ❶ → 그림 ❷ → 그림 ❸ → 그림 ❹ → 그림 ❺'의 차례로 꾸며 쓴 이야기를 완성해 봅니다.

> **채점 기준**
>
> ❶에는 그림 ❶에서 일어난 일을, ❷에는 그림 ❷에서 일어난 일을 넣어 이야기를 완성했으면 정답입니다.

124쪽 · 똑똑한 하루 글쓰기 · 받아쓰기

1 ❶ 　 숲 속 ∨ 캠 핑 장 　 　

❷ 　 놀 고 ∨ 있 었 어 요 .

2 ❶ 숲속 깊 이 들어갔어요.

❷ 겨 우 내 먹을 도토리가 부족하다며 눈물을 흘렸어요.

3 　 다 람 쥐 에 게 ∨ 도 토 리 를 ∨ 돌 려 주 었 어 요 .

125쪽 · 똑똑한 하루 글쓰기 · 마무리

⟨예⟩ 한 아이가 숲속 캠핑장에 나타난 다람쥐를 따라 숲속 깊이 들어갔어요. 숲속 깊이 들어가자 놀랍게도 다람쥐가 말을 했어요. 다람쥐는 곧 겨울인데 아픈 동생을 돌보느라 도토리를 모아 두지 못했다고 걱정했어요. <u>아이는 다람쥐가 너무 가여워 여기저기 도토리를 주우러 다녔어요.</u> 아이는 그 다람쥐를 다시 찾아가 가방과 주머니에 담아 온 도토리를 건넸어요.

⟨예⟩ 한 아이가 숲속 캠핑장에 나타난 다람쥐를 따라 숲속 깊이 들어갔어요. 숲속 깊이 들어가자 놀랍게도 다람쥐가 말을 했어요. 다람쥐는 곧 겨울인데 아픈 동생을 돌보느라 도토리를 모아 두지 못했다고 걱정했어요. <u>아이는 도토리가 많이 떨어져 있던 숲속 캠핑장으로 돌아가 열심히 도토리를 주웠어요.</u> 아이는 그 다람쥐를 다시 찾아가 가방과 주머니에 담아 온 도토리를 건넸어요.

◉ 바뀐 그림의 차례에 맞게 이야기를 다시 꾸며 써 봅니다.

> **채점 기준**

구분	답안 내용	
평가 기준	그림 ❶과 이야기의 흐름에 맞게 이야기를 꾸며 썼습니다.	상
	그림 ❶에 알맞은 내용을 썼지만 이야기의 흐름에 맞지 않는 부분이 있습니다.	중
	그림 ❶과 이야기의 흐름에 맞게 이야기를 꾸며 쓰지 못하였습니다.	하

특강 | 똑똑한 하루 창의·융합·코딩

127쪽

"호 랑 이 에 게 물 려 가 도 정 신 만 차 리 면 산 다"라는 말을 떠올리며 사나운 개를 피해 갔다.

128쪽

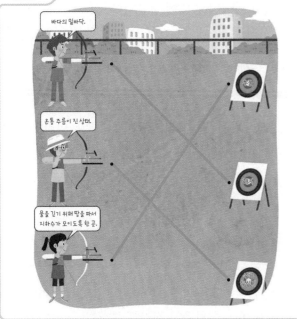

○ '바다의 밑바닥.'이라는 뜻의 낱말은 '해저'입니다. '온통 주름이 진 상태.'라는 뜻의 낱말은 '주름투성이'입니다. '물을 긷기 위해 땅을 파서 지하수가 모이도록 한 곳.'이라는 뜻의 낱말은 '우물'입니다.

{ 더 알아보기 }

'-투성이'라는 말에 대해 더 알아보기

'그것이 너무 많은 상태' 또는 '그런 상태의 사물, 사람'의 뜻을 더하는 말입니다. 예를 들어, '땀투성이', '먼지투성이', '상처투성이' 등과 같은 말이 있습니다.

129쪽

○ 출발 지점에서 젊어지는 샘물까지 가려면 오른쪽으로 2칸, 아래쪽으로 3칸, 오른쪽으로 1칸을 가야 합니다.

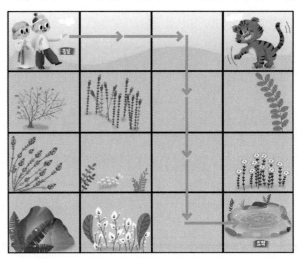

130쪽

 물이 담긴 유리병 (10 , 11 , ⑫)개를 찾았어요.

○ 출발해서 도착할 때까지 찾은 물병의 수를 모두 더하면 '2+3+1+2+4=12'이므로 12개입니다.

131쪽

· 겨 울 잠 을 잔다.
· 도 토 리, 땅콩, 잣, 밤 등을 먹는다.

○ 만화에서 다람쥐는 겨울잠을 자기 전에 도토리와 같은 먹이를 모아서 저장해 둔다고 하였습니다.

132~133쪽

1 언제	2 잃어버렸어요
3 (1) ○	4 ②
5 달래	6 (2) ○

7
	까	마	귀	들	은	∨
유	리	병	∨	속	에	∨
돌	멩	이	를	∨	채	
워	∨	넣	었	어	요	.

8 꿀꺽꿀꺽

9
	샘	물	을		마
신		할	머	니	도
젊	어	졌	어	요	.

10 그림

1 그림이나 사진을 보고, 이야기를 상상하여 꾸며 쓸 때에는 먼저 언제, 어디에서, 누구에게 일어나는 일일지 상상한 다음, 어떤 일이 일어날지 상상하여 꾸며 써야 합니다.

2 제시된 문장과 같이 사라진 것이 물건일 때에는 '잃어버렸어요'라는 낱말을 써야 합니다.

(더 알아보기)

'잃어버리다'와 '잊어버리다' 구분하기
• 가졌던 물건이 자신도 모르게 없어졌을 때에는 '잃어버리다'를 씁니다.
  예 책가방을 잃어버렸어요.
• 어떤 사실을 기억해 내거나 생각해 내지 못했을 때에는 '잊어버리다'를 씁니다.
  예 책가방을 어디에 두었는지 잊어버렸어요.

3 이야기의 일부분을 바꾸어 쓸 때 가장 먼저 할 일은 어느 부분을 바꾸어 쓸지 정하는 것입니다.

4 다람쥐들이 던진 도토리에 토끼가 맞았기 때문에 다람쥐들은 토끼에게 미안한 마음이 들었을 것입니다.

5 토끼에게 미안한 마음이 든 다람쥐들이 어떻게 행동하였을지 상상하여 ㉠을 알맞게 바꾸어 쓴 사람은 달래입니다.

(왜 틀렸을까?)

토끼가 다람쥐들에게 미안해해야 하는 상황이 아니라 다람쥐들이 토끼에게 미안해해야 하는 상황이므로 기찬이와 같이 ㉠을 바꾸어 쓰는 것은 알맞지 않습니다.

6 '여페'는 '옆에'를 소리 나는 대로 쓴 것입니다. '옆에'라고 써야 맞춤법에 맞습니다.

7 까마귀들이 유리병 속에 있는 물을 마시기 위해 유리병 속에 채워 넣은 것은 돌멩이입니다.

8 '물이나 음식물이 목구멍이나 좁은 구멍으로 한꺼번에 자꾸 넘어가는 소리. 또는 그 모양.'이라는 뜻의 '꿀꺽꿀꺽'을 쓰는 것이 어울립니다.

(왜 틀렸을까?)

'콸콸'은 '많은 양의 액체가 급히 세차게 쏟아져 흐르는 소리.'라는 뜻의 낱말입니다. '수돗물이 콸콸 쏟아졌다.'와 같이 쓸 수 있습니다.

9 젊어지는 샘물을 마신 일이 원인이 되어 할머니에게 어떤 일이 일어났을지 짐작해 봅니다.

10 그림의 차례를 정해 이야기를 꾸며 쓸 때에는 그림과 어울리게 꾸며 써야 합니다.

한 주 동안
수고했어요~!

136~137쪽 　　4주에는 무엇을 공부할까? ❷

1-1 글쓴이	1-2 제 목
2-1 친구와 놀았던 일	2-2 친구와 놀았던 일

1-1 일기에는 날짜와 요일, 날씨, 제목, 기억에 남는 일, 생각이나 느낌이 들어갑니다.

1-2 '폭신폭신 핫케이크를 만든 날'은 일기의 제목입니다. 글쓴이는 일기에 들어가지 않습니다.

2-1 그림에서 친구와 소꿉놀이를 하고 있으므로 친구와 놀았던 일을 일기로 쓰려고 한다는 것을 알 수 있습니다.

2-2 일기에서 친구들과 시소를 타고 놀았다고 하였으므로 친구와 놀았던 일을 쓴 일기입니다.

139쪽 　　똑똑한 하루 글쓰기 미리 보기

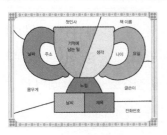

140~141쪽 　　똑똑한 하루 글쓰기

1 (1) 학교에서 수업 시간에 내가 쓴 글을 발표했다.

(2) 많이 떨렸는데, 잘했다고 선생님께 칭찬받아서 뿌듯했다.

2 ❶ 학교에서 수업 시간에 내가 쓴 글을 발표했다.

❷ 많이 떨렸는데, 잘했다고 선생님께 칭찬받아서 뿌듯했다.

3 학교에서 ❶ 예 수업 시간에 내가 쓴 글을 발표했다. ❷ 예 많이 떨렸는데, 잘했다고 선생님께 칭찬받아서 뿌듯했다. 다음번에는 떨지 않고 오늘보다 더 씩씩하게 발표할 수 있을 것 같다.

1 (1) 정호는 수업 시간에 발표를 했습니다.

(2) 정호는 선생님께 칭찬받아서 뿌듯했습니다.

2 **1**에서 쓴 칭찬받았던 일과 그 일에 대한 생각이나 느낌을 두 문장으로 정리해서 씁니다.

3 **2**에서 쓴 문장을 넣어 칭찬받았던 일을 쓴 일기를 완성해 봅니다.

> **채점 기준**
>
> 칭찬받았던 일과 그 일에 대한 생각이나 느낌을 맞춤법과 띄어쓰기에 맞게 썼으면 정답입니다.

> **〔 더 알아보기 〕**
>
> **발표할 때 자신 있게 말하는 방법**
>
> 고개를 들고 듣는 사람을 바라보며 바른 자세로 서서 큰 목소리로 말합니다.

142쪽 　　똑똑한 하루 글쓰기 받아쓰기

1 ❶ ｜또｜박｜또｜박｜∨｜잘｜했｜다｜.｜

❷ ｜내｜가｜∨｜해｜냈｜어｜!｜

2 ❶ 친구들은 나를 ｜척｜척｜박｜사｜라고 칭찬한다.

❷ 어깨가 ｜으｜쓱｜으｜쓱｜해졌다.

3 ｜진｜짜｜∨｜박｜사｜가｜∨｜된｜∨｜
｜것｜처｜럼｜∨｜신｜이｜∨｜났｜다｜.｜

143쪽 　　똑똑한 하루 글쓰기 마무리

제목: ❶ 아빠 어깨 안마하기

　저녁에 퇴근해서 집에 오신 아빠께 안마를 해 드리기로 했다. 나는 ❷ 앉아 계신 아빠의 어깨를 꾹꾹 주물러 드렸다.

"아이, 시원하다. 아빠 안마도 해 주고 우리 딸 정말 멋지다."

하고 아빠께서 칭찬해 주셨다. 그 말씀을 들으니 ❸ 좋아서 힘이 마구 솟았다.

　아빠의 어깨가 더 이상 안 아팠으면 좋겠다. 아빠 힘내세요!

◎ ❶～❸에 들어갈 알맞은 말을 보기 에서 골라 칭찬 받았던 일을 쓴 일기를 완성해 봅니다.

채점 기준

구분	답안 내용	
평가 기준	❶～❸에 보기 에서 알맞은 말을 골라 넣어 일기를 완성하였습니다.	상
	❶～❸에 보기 에서 알맞은 말을 골라 넣어 일기를 썼으나 맞춤법이나 띄어쓰기에 틀린 부분이 있습니다.	중
	❶～❸ 중 한두 곳에만 알맞은 말을 골라 넣어 일기를 썼습니다.	하

2일

145쪽   똑똑한 **하루 글쓰기** 미리 보기

146~147쪽   똑똑한 **하루 글쓰기**

1 (1) 내가 아끼는 연필을 잃어버린 정수가 밉 다 .

(2) "김정수, 오늘 일은 꼭 사 과 해."

2 ❶ 내가 아끼는 연필을 잃 어 버 린 정수가 밉 다 .

❷ "김정수, 오늘 일은 꼭 사 과 해."

3

내	가	V	아	끼	는	V	연	필
을	V	잃	어	버	린	V	정	수	가	V
밉	다	.						
	"	김	정	수	,	오	늘	V	일
은	V	꼭	V	사	과	해	.	"

1 (1) 연필을 잃어버린 정수가 미울 것입니다.

(2) 정수에게 사과하라고 말하고 싶을 것입니다.

2 1에서 쓴 친구와 싸웠던 일에 대한 생각이나 느낌을 두 문장으로 정리해서 씁니다.

3 2에서 쓴 문장을 넣어 친구와 싸웠던 일을 쓴 일기에 들어갈 생각이나 느낌을 완성해 봅니다.

채점 기준

친구와 싸웠던 일에 들어갈 생각이나 느낌을 맞춤법과 띄어쓰기에 맞게 썼으면 정답입니다.

〔 **더 알아보기** 〕

원고지에 대화체를 쓰는 방법

원고지에 대화체를 쓸 때에는 첫 칸을 비우고 씁니다. 내용이 길어 다음 줄로 넘어갈 때에도 첫 칸을 비우고 써야 합니다.

148쪽   똑똑한 **하루 글쓰기** 받아쓰기

1 ❶

	연	필	을	V	빌	려	주	었	다	.

❷

	연	필	을	V	잃	어	버	렸	다	.

2 ❶ 눈물이 날 정도로 억 울 하 다 .

❷ 분 해 서 씩씩거렸다.

3

	"	네	V	말	만	V	옳	은	V
것	은	V	아	니	야	.	"	

149쪽   똑똑한 **하루 글쓰기** 마무리

	속	상	했	다	.	내		탓	을
한		영	진	이	가		싫	었	다	.
	"	영	진	아	,	진		게	
	내		탓	만	은		아	니	야	. "

◎ 친구와 싸우고 나서 어떤 생각이나 느낌이 들었을지 생각해 봅니다.

채점 기준

구분	답안 내용	
평가 기준	보기 에서 알맞은 말을 두 가지 골라 일기 를 완성하였습니다.	상
	보기 에서 알맞은 말을 두 가지 골라 일기 를 썼지만, 맞춤법이나 띄어쓰기에 틀린 부분 이 있습니다.	중
	보기 에서 알맞은 말을 한 가지만 골라 일 기를 썼습니다.	하

3일

151쪽 **똑똑한 하루 글쓰기 미리 보기**

❶ 무 엇
❷ 표 현
❸ 자 세

152~153쪽 **똑똑한 하루 글쓰기**

1 (1) 숨바꼭질을 하는데 친구가 나를 앞에 두고 찾지 못
했 다.
(2) 내가 뛰어나가니 친구가 깜짝 놀라서 웃 겼 다.

2 ❶ 숨바꼭질을 하는데 친구가 나를 앞에 두고 찾 지
못 했 다.
❷ 내가 뛰어나가니 친구가 깜짝 놀 라 서 웃 겼 다.

3 오늘, 이사 갔던 친구와 오랜만에 만나 실내 놀이방에 갔
다. 그런데 실내 놀이방에서 재미있는 일이 있었다. ❶ 예
숨바꼭질을 하는데 친구가 나를 앞에 두고 찾지 못했다.
❷ 예 내가 뛰어나가니 친구가 깜짝 놀라서 웃겼다. 다음
번에는 친구가 자기 집에 놀러 오라고 했는데 빨리 또 만
나서 놀고 싶다.

1 (1) 친구가 민준이를 찾지 못하고 있습니다.
(2) 민준이는 뛰어나가니 친구가 깜짝 놀라서 웃겼
을 것입니다.

2 1에서 쓴 친구와 놀았던 일과 그 일에 대한 생각이
나 느낌을 두 문장으로 정리해서 씁니다.

3 2에서 쓴 문장을 넣어 친구와 놀았던 일을 쓴 일기
를 완성해 봅니다.

채점 기준

친구와 놀았던 일과 그 일에 대한 생각이나 느낌을 맞
춤법과 띄어쓰기에 맞게 썼으면 정답입니다.

더 알아보기

친구와 놀았던 일을 쓸 때에는 '친구와 놀았다. 재미있
었다.'와 같이 간단히 쓰지 말고, 친구와 무엇을 하고 놀았
는지, 친구와 놀면서 어떠한 생각이나 느낌이 들었는지 잘
드러나게 쓰는 것이 좋습니다.

154쪽 **똑똑한 하루 글쓰기 받아쓰기**

1 ❶ 오 랜 만 에 ∨ 만 났 다 .
❷ 웃 음 이 ∨ 나 왔 다 .

2 ❶ 친구들과 스 케 이 트 를 탔다.
❷ 친구들과 술 래 잡 기 를 했다.

3 친 구 들 이 ∨ 내 가 ∨ 잘
한 다 고 ∨ 해 서 ∨ 기 뻤 다 .

155쪽 **똑똑한 하루 글쓰기 마무리**

점심에 해진이가 우리 집에 놀러 왔다. 우리는 스케치북
에 그림을 그리며 놀았다.
해진이는 나에게 그 림 을 잘 그 리 는 방 법
을 알려 주었다. 해진이가 알려 준 대로 그림을 그리니 전
에 그린 것보다 그 림 이 훨 씬 예 뻐 서 기 분
이 좋 았 다.
그림을 잘 그리는 방법을 알려 준 해진이에게 고마웠다.
그래서 해진이에게 그림을 한 장 그려서 고마운 마음을 쓴
쪽지와 함께 선물했다.

◉ 빈칸에 알맞은 말을 넣어 친구와 놀았던 일을 쓴 일
기를 완성해 봅니다.

구분	답안 내용	
평가 기준	친구와 놀았던 일과 그 일에 대한 생각이나 느낌을 찾아 빈칸에 모두 알맞게 써넣어 일기를 완성하였습니다.	상
	친구와 놀았던 일과 그 일에 대한 생각이나 느낌을 빈칸에 모두 써넣었지만 틀린 글자가 있습니다.	중
	빈칸을 모두 채우지 못했습니다.	하

4일

157쪽 똑똑한 하루 글쓰기 미리 보기

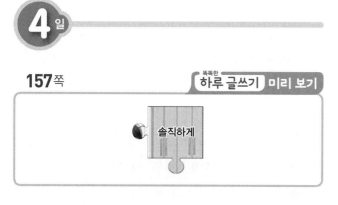

솔직하게

158~159쪽 똑똑한 하루 글쓰기

1 (1) 연수가 찰흙 모형을 망가뜨린 나를 싫어할까 봐 [걱][정]된다.

(2) 선생님께 혼날까 봐 [겁]난다.

2 연수가 찰흙 모형을 망가뜨린 나를 [싫][어][할][까][봐][걱][정]되고, 선생님께 [혼][날][까][봐][겁][난][다].

3

연	수	가	V	찰	흙	V	모	형	
을	V	망	가	뜨	린	V	나	를	V
싫	어	할	까	V	봐	V	걱	정	되
고	,	선	생	님	께	V	혼	날	까	V
봐	V	겁	난	다	.				

1 (1) 연수가 '나'를 싫어할까 봐 걱정될 것입니다.

(2) 선생님께 혼날까 봐 겁날 것입니다.

2 **1**에서 쓴 실수나 잘못했던 일에 대한 생각이나 느낌을 한 문장으로 정리해 씁니다.

3 **2**에서 쓴 문장을 넣어 실수나 잘못했던 일을 쓴 일기에 들어갈 생각이나 느낌을 완성해 봅니다.

실수나 잘못했던 일에 대한 생각이나 느낌을 맞춤법과 띄어쓰기에 맞게 썼으면 정답입니다.

[더 알아보기]

실수나 잘못했던 일을 일기로 쓰는 방법

• 실수나 잘못했던 일을 솔직하게 써 봅니다.

• 실수나 잘못했던 일에 대한 반성이나 다짐을 쓸 수도 있지만, 걱정되고 고민되었던 느낌들도 쓸 수 있습니다.

160쪽 똑똑한 하루 글쓰기 받아쓰기

1 ❶

많	이	V	울	었	잖	아	.

❷

떨	어	뜨	리	고	V	말	았	어	.

2 ❶ 동생이 너무 얄미웠다.

동생이 너무	얄	미	웠	다	.

❷ 동생에게 꿀밤을 먹였다.

동생에게 꿀밤을	먹	였	다	.

3

사	과	를	V	할	까	V	말	까	V
고	민	이	V	되	었	다	.		

161쪽 똑똑한 하루 글쓰기 마무리

아침에 늦게 일어나서 허겁지겁 집을 나섰다. 그런데 학교에 가다가 보니 세상에! 내가 ❶ <u>예 신발을 짝짝이로 신고 있었다.</u> 지각하지 않으려고 그대로 학교에 갔다. ❷ <u>예 너무 부끄러워서 고개를 들 수가 없었다.</u> 학교에 가는 동안 신발 주머니로 가려 봤지만 소용이 없었다. 지금 생각해도 부끄러워서 얼굴이 화끈화끈하다. ❸ <u>예 다음부터는 늦잠을 자지 않도록 조심해야겠다.</u>

○ ❶~❸에 들어갈 알맞은 말을 넣어 실수나 잘못했던 일을 쓴 일기를 완성해 봅니다.

구분	답안 내용	
평가 기준	❶~❸에 알맞은 말을 써서 일기를 완성하였습니다.	상
	❶~❸ 중 두 개만 알맞은 말을 썼습니다.	중
	❶~❸ 중 하나만 알맞은 말을 썼습니다.	하

163쪽 · 똑똑한 **하루 글쓰기** 미리 보기

🐼	– 한 가 지 ,
🤖	– 생 생 하 게 ,
😄	– 제 목

164~165쪽 · 똑똑한 **하루 글쓰기**

1 제목: 상 어 와의 만남

2
아쿠아리움에 가족들과 놀러 갔다. 나는 물고기들 사이에서 상어를 보자마자 "정 말 최 고 야 !"라고 외칠 수밖에 없었다. 푸른 물속에서 은빛 상어들이 꼬리를 휘휘 저으며 헤엄을 치고 있었기 때문이다.

3 예

| 커 | 다 | 란 | | 상 | 어 | 의 | | 모 |
| 습 | 이 | | 정 | 말 | | 멋 | 있 | 었 | 다 | . |

예

| 반 | 짝 | 반 | 짝 | | 빛 | 나 | 는 | |
| 상 | 어 | 가 | | 신 | 비 | 로 | 웠 | 다 | . |

1 그림에는 상어들이 헤엄을 치고 있습니다.

2 유미는 상어를 보며 "정말, 최고야!"라며 감탄을 하고 있습니다.

3 상어를 보고 나서 어떤 생각이나 느낌이 들었을지 생각하며 마음에 드는 문장을 골라 써 봅니다.

> **채점 기준**
>
> 상어를 보고 나서 든 생각이나 느낌을 맞춤법과 띄어쓰기에 맞게 썼으면 정답입니다.

166쪽 · 똑똑한 **하루 글쓰기** 받아쓰기

1 ❶ | 저 | ∨ | 상 | 어 | 들 | ∨ | 봐 | ! |

❷ | 정 | 말 | ∨ | 푹 | 신 | 푹 | 신 | 해 | 요 | . |

2 ❶ 바닷가 | 나 | 들 | 이 |

❷ 파도가 | 철 | 썩 | 철 | 썩 | 치는 소리가 들렸다.

3 | | 바 | 닷 | 가 | 에 | 서 | ∨ | 동 | 생 | 과 | ∨ |
| 신 | 나 | 게 | ∨ | 뛰 | 어 | 놀 | 았 | 다 | . |

167쪽 · 똑똑한 **하루 글쓰기** 마무리

예

날짜: 20○○년 8월 2일 토요일	날씨: 맑음

제목: 신나는 물놀이

친구들과 다 함께 수영장에 놀러 갔다. 제일 재미있었던 것은 역시 워터슬라이드였다. 기다리는 것은 지루했지만 기다란 미끄럼틀을 타고 시원한 물에 풍덩하고 빠지는 게 너무 재미있었다. 여름이 끝나기 전에 한 번 더 가고 싶다.

예

날짜: 20○○년 5월 10일 토요일	날씨: 맑음

제목: 여러 가지 색깔 장미

가족들과 장미로 유명한 공원에 다녀왔다. 나는 장미가 빨간색만 있는 줄 알았는데, 노란색, 하얀색 등 다양한 색깔의 장미가 있어서 신기했다. 장미 덩굴로 이루어진 터널을 지날 때에는 마치 동화 속 세상 같아서 두근거렸다. 장미와 함께 보낸 오늘 하루는 정말 최고였다.

◯ 일기에 들어가야 하는 내용을 생각해 보며 놀러 갔던 일로 일기를 한 편 완성해 봅니다.

채점 기준

구분	답안 내용	
평가 기준	날짜와 요일, 날씨, 제목, 기억에 남는 일, 생각이나 느낌을 모두 넣어 놀러 갔던 일로 일기를 썼습니다.	상
	날짜와 요일, 날씨, 제목, 기억에 남는 일, 생각이나 느낌을 모두 넣어 놀러 갔던 일로 일기를 썼지만 어색한 표현이 있습니다.	중
	날짜와 요일, 날씨, 제목, 기억에 남는 일, 생각이나 느낌 중 빠진 내용이 있습니다.	하

169쪽

"｜가｜는｜날｜이｜장｜날｜"이라더니, 오랜만에 간 가게 가 하필 오늘이 쉬는 날이다.

170쪽

◯ '실제로 체험하는 느낌.'이라는 뜻의 낱말은 '실감'이 고, '시간이 상당히 지나는 동안.'이라는 뜻의 낱말 은 '한참'입니다. '으뜸인 것. 또는 으뜸이 될 만한 것.'이라는 뜻의 낱말은 '최고'입니다.

〔 왜 틀렸을까? 〕
- **유감**: 마음에 차지 않아 섭섭하거나 불만스럽게 남아 있 는 느낌.
  - ㉚ 제 제안을 거절하시니 참으로 <u>유감</u>입니다.
- **한시**: 잠깐 동안.
  - ㉚ <u>한시</u>라도 빨리 여기서 나가고 싶다.
- **최후**: 맨 마지막.
  - ㉚ <u>최후</u>의 방법으로 우리는 제비뽑기를 했다.

171쪽

 제목: ｜청｜소｜대｜작｜전｜

◯ 를 표에서 찾으면 '청소 대작전'이 됩니다. 일기의 내용과 어울리는 제목을 짓는 법을 생각하며 일기의 제목을 찾아봅니다.

172쪽

 ▶ 민물고기: 송사리, ｜메｜기｜
▶ 바닷물고기: 가오리, ｜해｜마｜

◯ 송사리와 메기는 연못이나 호수, 강과 같은 소금기가 없는 민물에 사는 민물고기이고, 가오리와 해마는 소 금기가 있는 물인 바다에 사는 바닷물고기입니다.

〔 더 알아보기 〕

바다와 강을 오가는 물고기 알아보기

연어	뱀장어

연어는 바다로 갔다가 알을 낳을 때 강으로 돌아오고, 뱀장어는 반대로 강에서 살다가 바다에서 알을 낳습니다.

173쪽

 선영이네 가족은 ｜놀이공원｜에 놀러 갔어요.

◯ 코딩 명령에 따라 위로 한 칸 오른쪽으로 한 칸을 세 번 반복해 이동하여 봅니다. 코딩 명령에 따라 이동 하면 다음과 같습니다.

평가 — 누구나 100점 테스트

174~175쪽

1 지민
2 (2) ○
3 뿌 듯 했 다
4 (1) ○
5 억울했다
6 실내 놀이방에서 친구와 숨 바 꼭 질 을 했던 일
7 (2) ○
8 제목: 상어와의 만 남
9 (1) ② (2) ①
10 (2) ○

---

1 일기에는 날짜와 요일, 날씨, 제목, 기억에 남는 일, 생각이나 느낌이 들어갑니다. 경수가 이야기한 글쓴이는 일기에 들어가지 않습니다.

2 일기의 내용을 보면 선생님께 칭찬받았다고 하였으므로 칭찬받았던 일을 쓴 일기입니다.

3 글쓴이는 발표할 때 많이 떨렸는데, 선생님께 칭찬받아서 뿌듯했을 것입니다.

> **더 알아보기**
> • **뿌듯했다**: 기쁨이나 감격이 마음에 가득 차서 벅찼다.
>   예 방 청소를 모두 끝내고 나니 뿌듯했다.
> • **섭섭했다**: 서운하고 아쉬웠다.
>   예 내 말은 들어 주지 않아서 섭섭했다.

4 체육 시간에 영진이가 '나'에게 "야! 제대로 좀 차! 너 때문에 우리 편이 지잖아!"라고 화를 내어 서로 싸우게 되었으므로 '나'는 영진이에게 "영진아, 진 게 내 탓만은 아니야."라고 말하고 싶을 것입니다.

> **왜 틀렸을까?**
> '나'는 영진이와 싸우고 화가 나 있는 상태이므로 영진이에게 "영진아, 우리 계속 친하게 지내자."라고 하는 것은 맞지 않습니다.

5 '억울했다'는 [어굴핻따]로 소리가 나지만 적을 때는 '억울했다'로 적어야 합니다.

6 일기의 내용을 보면 실내 놀이방에서 숨바꼭질을 할 때 재미있는 일이 있었던 것이므로 실내 놀이방에서 친구와 숨바꼭질을 했던 일이 기억에 남는 일입니다.

7 그림을 보면 친구가 찰흙 모형을 망가뜨렸습니다. 일기에 이 일에 대해 '연수가 찰흙 모형을 망가뜨린 나를 싫어할까 봐 걱정되고, 선생님께 혼날까 봐 겁난다.'라고 하였으므로 실수나 잘못했던 일을 일기로 쓴 것입니다.

8 일기의 내용을 보면 '나'는 상어들을 보며 즐거워하고 있으므로 '이별'과 '싸움'은 알맞지 않습니다. '상어와의 만남'이 이 일기의 제목으로 가장 알맞습니다.

9 '은빛'은 색깔을 나타내는 꾸며 주는 말로 쓰여 '은빛 상어'와 같이 나타내는 것이 알맞고, '휘휘'는 행동을 흉내 내는 말이므로 '휘휘 저으며'와 같이 나타내는 것이 알맞습니다.

> **더 알아보기**
> • **은빛**: 은의 빛깔과 같이 반짝이는 빛.
>   예 은빛 달이 하늘에 떠 있다.
> • **휘휘**: 이리저리 휘두르거나 휘젓는 모양.
>   예 파리를 쫓으려고 손을 휘휘 저었다.

10 상어들을 보며 "정말 최고야!"라고 감탄하고 있으므로 '지루해서 빨리 돌아가고 싶었다.'는 알맞지 않습니다.

다음 권에서
다시 만나요~!

기억에 남는 일을 일기로 남겨 봐요.

즐겁고 행복했던 일

날짜: 날씨:

제목:

슬프고 속상했던 일

날짜: 날씨:

제목:

기초 학습능력 강화 교재

연산이 즐거워지는 공부습관

똑똑한 하루
빅터연산

기초부터 튼튼하게

수학의 기초는 연산!
빅터가 쉽고 재미있게 알려주는 연산 원리와
집중 연산을 통해 연산 해결 능력 강화

게임보다 재미있다

지루하고 힘든 연산은 NO!
수수께끼, 연상퀴즈, 실생활 문제로
쉽고 재미있는 연산 YES!

더! 풍부한 학습량

수·연산 문제를 충분히 담은 풍부한 학습량
교재 표지의 QR을 통해 모바일 학습 제공
교과와 연계되어 학기용 교재로도 OK

초등 연산의 빅데이터!
기초 탄탄 연산서
예비초~초2(각 A~D)
초3~6(각 A~B)

정답은
이안에
있어!

국어
예비초~초6

수학
예비초~초6

영어
예비초~초6

봄·여름
가을·겨울
(바·슬·즐)
초1~초2

안전
초1~초2

사회·과학
초3~초6

배움으로 행복한 내일을 꿈꾸는
천재교육 커뮤니티 안내

...

교재 안내부터 구매까지 한 번에!
천재교육 홈페이지

천재교육 홈페이지에서는 자사가 발행하는 참고서,
교과서에 대한 소개는 물론 도서 구매도 할 수 있습니다.
회원에게 지급되는 별을 모아 다양한 상품 응모에도
도전해 보세요.

구독, 좋아요는 필수! 핵유용 정보 가득한
천재교육 유튜브 <천재TV>

신간에 대한 자세한 정보가 궁금하세요?
참고서를 어떻게 활용해야 할지 고민인가요?
공부 외 다양한 고민을 해결해 줄 채널이 필요한가요?
학생들에게 꼭 필요한 콘텐츠로 가득한 천재TV로 놀러 오세요!

다양한 교육 꿀팁에 깜짝 이벤트는 덤!
천재교육 인스타그램

천재교육의 새롭고 중요한 소식을 가장 먼저 접하고 싶다면?
천재교육 인스타그램 팔로우가 필수!
누구보다 빠르고 재미있게 천재교육의 소식을 전달합니다.
깜짝 이벤트도 수시로 진행되니 놓치지 마세요!